新完全マスター 読解

日本語能力試験

読解 N3

田代ひとみ・宮田聖子・荒巻朋子 著

スリーエーネットワーク

Published by 3A Corporation.
Trusty Kojimachi Bldg., 2F, 4, Kojimachi 3-Chome, Chiyoda-ku, Tokyo 102-0083, Japan

ISBN978-4-88319-671-5 C0081

First published 2014
Printed in Japan

はじめに

　日本語能力試験は、1984 年に始まった、日本語を母語としない人の日本語能力を測定し認定する試験です。受験者が年々増加し、現在では世界でも大規模な外国語の試験の一つとなっています。試験開始から 20 年以上経過する間に、学習者が多様化し、日本語学習の目的も変化してきたため、2010 年に新しい「日本語能力試験」として内容が大きく変わりました。新しい試験では知識だけでなく、実際に運用できる日本語能力が問われます。

　本書はこの試験のＮ３レベルの読解問題集として、以下の構成で作成しました。

実力養成編

　第 1 部　基礎力をつけよう

　　読解試験問題を解くための基本的な能力を身につけます。書き言葉に慣れ、読むスピードを上げるための練習ができます。

　第 2 部　いろいろな文章を読もう

　　いろいろな形式の文章に慣れ、内容を理解するための練習ができます。

　第 3 部　広告・お知らせなどから情報を探そう

　　広告やお知らせなどから必要な部分を探して読み取る情報検索の練習ができます。

　第 4 部　実戦問題

　　短文・中文・長文の内容理解問題と情報検索問題を数多く練習することによって少しずつ読解能力を上げることができます。

模擬試験

　　実際の試験と全く同じ形式の模擬試験問題です。腕試しとして、チャレンジしてみてください。

■本書の特徴

　①文章を読むための基礎的な練習がはじめにあります。書き言葉の特徴を理解し、長い文章でも無理なく読めるように工夫しました。

　②日本語能力試験の読解問題でどのような点に注目すればよいか、ポイントを簡潔にわかりやすく説明してあります。

　③一人でも、クラスでも、正しい答えが導き出せるように、別冊に全ての問題に詳しい解説をつけました。

　本書が日本語能力試験の受験に役立つと同時に、日本語を使って学習・生活・仕事をする際の手助けにもなることを心から願っています。

著者

目 次 Contents 目录

本書をお使いになる方へ

■本書の目的

本書は以下の2点を大きな目的としています。

①日本語能力試験N3対策：N3の試験に合格できる力をつける。

②「読解」能力の向上：試験対策にとどまらない全般的な「読解」の力をつける。

■日本語能力試験N3読解問題とは

日本語能力試験N3は、「言語知識（文字・語彙）」（試験時間30分）、「言語知識（文法）・読解」（試験時間70分）と「聴解」（試験時間40分）に分かれており、読解問題は「言語知識（文法）・読解」の一部です。（N3レベルは、日本語能力試験が2010年に新しい「日本語能力試験」に変わったとき、新たに作られました。旧日本語能力試験の2級と3級の間のレベルです。）

読解問題はさらに以下の四つの部分に分かれます。

1　内容理解（短文）4問（150～200字程度の短文に問い1問×4題）

2　内容理解（中文）6問（350字程度の中文に問い3問×2題）

3　内容理解（長文）4問（550字程度の長文に問い4問×1題）

4　情報検索　　　　2問（600字程度の広告・パンフレットなどに問い2問×1題）

■本書の構成

本書では、上で紹介した日本語能力試験に合格できる能力を身につけられるように、日本語の文章や情報素材を読む練習を少しずつ重ねていく構成になっています。

実力養成編　第1部　基礎力をつけよう

　　　　　　　　1．書き言葉に慣れよう

　　　　　　　　2．読むスピードを上げよう

　　　　　　第2部　いろいろな文章を読もう

　　　　　　第3部　広告・お知らせなどから情報を探そう

　　　　　　第4部　実戦問題

模擬試験

以下に詳細を説明します。

第1部は、日本語の読解にまだ慣れていない学習者のため、文章を読むための基礎的な練習をしていきます。以下の二つの部分からなります。

1. 書き言葉に慣れよう
2. 読むスピードを上げよう

1. 書き言葉に慣れよう

ここでは、日本語の書き言葉の特徴を理解するための練習をします。

Ｎ３レベルの能力試験を受験しようとしている人たちは、これまで話し言葉の日本語を中心に学んできたことが多く、書き言葉の日本語にはあまり慣れていません。一方、日本語のレベルが上がっていくと、書き言葉では話し言葉とは異なる語彙・表現が使われることが多くなります。そこで、この本ではまず、日本語の書き言葉の特徴を知り、慣れるための練習をします。

- ・書き言葉の文体
- ・助詞のような働きをする言葉
- ・漢語と和語
- ・文型の組み合わせ

これらの点に気づけば、書き言葉が少しずつ理解しやすくなるでしょう。

2. 読むスピードを上げよう

Ｎ３レベルの文章はＮ４レベルと比べて一文の長さが長くなり、文章も長くなるため、より難しい印象を与えます。Ｎ３レベルの人は文章を読むとき、一つ一つの言葉の意味を考えながら読む人が多いです。そのため、文章を読むのに時間がかかる人も少なくありません。そこで、ここでは読むスピードを上げられるようなポイントを紹介しています。

- ・どんな話かをつかむ
- ・長い文に慣れる
- ・あとの内容を予測する
- ・文章の構造を理解する
- ・「だれが」「何が」を考える
- ・知らない言葉を推測する
- ・指示語を意識する
- ・筆者の気持ちを理解する

これらの練習を重ねていけば、文章をより速く正確に理解するコツが身につくでしょう。また、読解の能力を上げるためには漢字、語彙、文法の知識・理解も不可欠です。本書とともにこれらの練習も並行して行うことをおすすめします。

第2部：いろいろな文章を読もう

ここでは、実際の試験でよく問題に出される、以下のような形式の文章を取り上げ、解説し、問題に答えるポイントを紹介します。

- ・メール(プライベート)
- ・メモ
- ・手紙
- ・指示文

- 意見文　　　　　　　　　　　　・説明文

- エッセイ

それぞれの形式に慣れることで、文章をより正確に効率よく理解できるようになります。

なお、第2部は文章の形式と解き方を紹介することが目的なので、文章の長さと問題の数は必ずしも実際の試験と同じではありません。

第3部：広告・お知らせなどから情報を探そう

2010年から始まった新しい「日本語能力試験」では、広告やお知らせなども出題されます。こうした文章では、読み手は第2部のような文章を読むのとは違う読み方をする必要があります。たとえば、最初から終わりまでていねいに読むのではなく、全体にざっと目を通して文章の目的や言いたいことをつかむ、あるいは、必要な部分だけを読むという読み方です。試験ではさまざまなタイプの文章が出題されると考えられますが、本書ではその中でも以下の形式の文章を取り上げます。

- 広告　　　　　　　　　　　　・パンフレット

- お知らせ　　　　　　　　　　・薬の飲み方

- グラフ　　　　　　　　　　　・メール（ビジネス）

これらの練習をして、情報検索のやり方に慣れておきましょう。

第4部：実戦問題

ここでは、以下のような実際の試験問題と同じ形式の問題を解きます。

- 内容理解（短文）　（150～200字程度の短文に問い1問）
- 内容理解（中文）　（350字程度の中文に問い3問）
- 内容理解（長文）　（550字程度の長文に問い4問）
- 情報検索　　　　　（600字程度の広告・パンフレットなどに問い2問）

文章が速く正確に読めるようになるためには、漢字、語彙、文法の知識を身につけるだけではなく、数多くの問題を解くことが重要です。第4部の問題に取り組んでいくことによって、読解の力が少しずつついていきます。

「語句・表現」について

第2部、第3部、第4部で、問題の文章に出てきた語句・表現を取り上げました。本文の下にある（注）だけではわからないときは、ここも見てください。これらの言葉は、よく使われるものなので、この機会に覚えておくことをおすすめします。

日本語能力試験の問題と本問題集の対応表（「模擬試験」を除く）

日本語能力試験の問題	試験問題に対応する本問題集の練習問題
内容理解（短文）	第1部　基礎力をつけよう 　　1．書き言葉に慣れよう　1）、2） 　　2．読むスピードを上げよう　1）、2） 第2部　いろいろな文章を読もう　1）、3） 第4部　実戦問題　1．内容理解（短文）
内容理解（中文）	第1部　基礎力をつけよう 　　1．書き言葉に慣れよう　3）、4） 　　2．読むスピードを上げよう　3）〜9） 第2部　いろいろな文章を読もう　2）、4）、5）、6） 第4部　実戦問題　2．内容理解（中文）
内容理解（長文）	第2部　いろいろな文章を読もう　7） 第4部　実戦問題　3．内容理解（長文）
情報検索	第3部　広告・お知らせなどから情報を探そう 第4部　実戦問題　4．情報検索

模擬試験

　実際の日本語能力試験と全く同じ形式、同じ数の問題が含まれる模擬試験です。試験では「言語知識（文法）・読解」の時間が70分となっていますので、自分で読解の時間配分を考え、何分くらいかかるか計りながらやってみましょう。

■表記

・表記は、常用漢字と『新しい国語表記ハンドブック［第五版］』（三省堂）に準拠しました。

・旧日本語能力試験の級外漢字・1級漢字・2級漢字を含む語彙、また特に読み方が難しいと思われる語彙にふりがなをつけました。

・本冊の解説、別冊の解説では、すべての漢字にふりがなをつけました。

「ふりがな」について

　この問題集では漢字が得意でない人のために、ふりがなを多くつけてあります。わからない言葉はあとで意味を確認してください。実際の試験では、ふりがなはもっと少ないです。

To users of this textbook

■ What this book is for

This textbook has the two following major objectives.
① Help measures for JLPT N3: Equipping the student with the ability to pass the N3 examination
② Improvement of reading comprehension: Giving the student the skills to tackle general reading and not just pass examinations

■ What reading comprehension questions are asked in the JLPT N3 examination?

The JLPT N3 examination is divided into three sections: *Language knowledge (moji [kanji/hiragana/katakana], and vocabulary)* (30 minutes); *Language knowledge (grammar) and reading comprehension* (70 minutes); and *Listening comprehension* (40 minutes). Reading comprehension questions come in the *Language knowledge (grammar) and reading comprehension* section. The N3 Level examination was introduced when a revised version of the JLPT came out in 2010. It falls between Levels 2 and 3 of the old JLPT.

The reading comprehension questions are further subdivided into the following four groups.
1 Understanding content (short sentences)
Four questions (1 question type, 4 topics, based on short sentences of around 150-250 *moji* or syllables)
2 Understanding content (mid-length sentences)
Six questions (3 question types, 2 topics, based on mid-length sentences of around 350 *moji* or syllables)
3 Understanding content (long sentences)
Four questions (4 question types, 1 topic, based on long sentences of around 550 *moji* or syllables)
4 Finding out what you need to know
Two questions (2 question types, 1 topic, based on advertising, pamphlets and similar texts of around 600 *moji* or syllables)

■ Structure of this textbook

This textbook is structured in such a way as to build up your ability to pass the JLPT mentioned above. It comprises exercises in reading Japanese texts and extracting key information, and fosters skills gradually through repetition.

Skills development section	Part 1: Mastering the basics
	1. Getting used to written Japanese
	2. Increasing your reading speed
	Part 2: Reading different kinds of text
	Part 3: Finding out what you need to know from advertising, public notices and similar texts
	Part 4: Exam-type questions

Mock tests

Below is a detailed explanation.

Skills development section   **Part 1: Mastering the basics**
For students who are not yet used to reading Japanese, Part 1 provides basic exercises in text reading. It comprises the following two parts.
1. Getting used to written Japanese
2. Increasing your reading speed

1. Getting used to written Japanese

Here, the exercises are designed to help students understand the characteristics of written Japanese.

Many of those who intend to take the JLPT N3 Level examination will have mainly studied spoken Japanese so far, and will not be so familiar with the written language. However, as you raise your level of Japanese ability, vocabulary and expressions that differ from those of the spoken language are used increasingly frequently in written texts. So this textbook, in the first instance, contains exercises to make students aware of and familiar with the characteristics of the written language.

- Styles used in the written language
- *Kango* and *wago* (Chinese-derived and indigenous Japanese words)
- Words that function like particles
- Sentence combination

If you take note of these points, the written language gradually becomes easier to understand.

2. Increasing your reading speed

Compared with N4, texts at N3 Level are slightly longer, as are sentences too, creating an impression of greater difficulty. When they read texts, many people at N3 Level do so while considering the meaning of each individual word, with the result that reading is often slow. Here, we would like to provide some pointers enabling you to increase your reading speed.

- Getting the drift of what is being said
- Who and what are being discussed?
- Getting used to long sentences
- Inferring the meaning of unknown words
- Predicting what comes next
- Being aware of demonstrative terms
- Understanding text structure
- Understanding the mood of the author

If you go over these exercises repeatedly, you will learn the knack of understanding texts more quickly and accurately. To improve your reading ability, it is also essential to know and understand *kanji*, vocabulary and grammar. We recommend that you do exercises too in tandem with this textbook.

Part 2: Reading different kinds of text

Below, we introduce texts of various formats, with explanatory notes and hints on answering questions about them. Questions in this area appear frequently in actual examinations.

- E-mail (private)
- Letters
- Memos
- Instruction texts
- Explanatory texts
- Expressions of opinion
- Essays

By familiarizing yourself with each of these various formats, you will be able read texts more accurately and efficiently.

Because the aim of Part 2 is to introduce different text formats and explain approaches to them, the length of texts and the number of questions are not necessarily the same as in the actual examination.

Part 3: Finding out what you need to know from advertising, public notices and similar texts

In the new JLPT launched in 2010, advertising, public notices and similar texts are also featured. For reading these kinds of texts, it is necessary to adopt a different approach from that used with texts such as those featured in Part 2. This approach typically entails avoiding carefully reading everything from beginning to end. Instead, you skim-read the whole text, grasping the key points and the writer's intent, or reading only the essential parts. In the examination, you can expect various different types of text to feature. In this textbook, we shall look at the following text formats.

- Advertising
- Pamphlets
- Public notices
- Instructions for taking medicine
- Graphic material
- E-mail (business)

By doing these exercises, you can familiarize yourself with approaches to "Finding out what you need to know".

Part 4: Exam-type questions

This section deals with questions using the same format as in the actual examination, as follows:
- Understanding content (short sentences) (one question on short sentences of around 150-250 *moji* or syllables)
- Understanding content (mid-length sentences) (three questions on mid-length sentences of around 350 *moji* or syllables)
- Understanding content (long sentences) (four questions on long sentences of around 550 *moji* or syllables)
- Finding out what you need to know (two questions, based on advertising, pamphlets and similar texts of some 600 *moji* or syllables)

To learn to read texts quickly and accurately, you need to know well not only *kanji*, vocabulary and grammar but also to get used to exam-type questions by answering as many as you can. By tackling questions in Part 4, you will gradually be able to improve your reading comprehension skills.

Phrases and expressions

In Parts 2, 3 and 4, we looked at phrases and expressions that occurred in question texts. When you cannot understand the main text using only the footnotes below (Notes), you can also refer to this. We recommend that you take this opportunity to memorize these words, which are frequently used.

JLPT questions and material in this textbook (except for mock tests)

JLPT questions	Exercise questions for improving exam performance

Understanding content (short sentences)	Part 1: Mastering the basics
	    1. Getting used to written Japanese 1), 2)
	    2. Increasing your reading speed 1), 2)
	Part 2: Reading different kinds of text 1), 3)
	Part 4: Exam-type questions 1.Understanding content (short sentences)

Understanding content (mid-length sentences)	Part 1: Mastering the basics
	    1. Getting used to written Japanese 3), 4)
	    2. Increasing your reading speed 3)-9)
	Part 2: Reading different kinds of text 2), 4), 5), 6)
	Part 4: Exam-type questions 2. Understanding content (mid-length sentences)

Understanding content (long sentences)	Part 2: Reading different kinds of text 7) Part 4: Exam-type questions 3. Understanding content (long sentences)
Finding out what you need to know	Part 3: Finding out what you need to know from advertising, public notices and similar texts Part 4: Exam-type questions 4. Finding out what you need to know

Mock tests

Mock tests have exactly the same format as the actual JLPT, and include the same number of questions. In the examination, 70 minutes are allowed for *Language knowledge (grammar) and reading comprehension*. Work out as you go along how many minutes should be allocated for reading comprehension.

■ Notation

・Notation is based on the standard *Joyo Kanji* list of Chinese characters and 『<ruby>新<rt>あたら</rt></ruby>しい<ruby>国語表記<rt>こく ご ひょう き</rt></ruby>ハンドブック[<ruby>第五版<rt>だい ご はん</rt></ruby>]』 published by Sanseido.

・*Furigana* (*kana* above showing the pronunciation of *kanji*) have been added to vocabulary, including ungraded, Level 1 and Level 2 *kanji* in the old JLPT, as well as vocabulary thought to present particular reading difficulty.

・*Furigana* are added to all *kanji* in explanations in the main text and annex.

A note on *furigana*

For those not well versed in *kanji*, we have often added *furigana* to question sets. Please check later the meaning of words you do not know. In the actual examination, there will be fewer *furigana*.

致学习者

■本书编写目的

本书编写目的主要是以下两点：

①提供日语能力考试N3级应试对策：掌握通过N3级考试能力。

②提高"阅读"能力：不是仅局限于应试，而是全面提升"阅读"能力。

■日语能力考试N3级阅读考试概念含义

日语能力考试N3级包括，"语言知识（文字、词汇）"（考试时间30分钟）、"语言知识（语法）和阅读"（考试时间70分钟）以及"听力"（考试时间40分钟），阅读考试是"语言知识（语法）和阅读"的一部分。（N3级别考试是在2010年日语能力考试全新改版时重新制定的。相当于旧版日语能力考试的2级与3级之间。）

阅读考试进一步划分为以下四个部分：

1　内容理解（短篇文章）　共4道题（150~200字左右的短文每篇1个问题×4篇）

2　内容理解（中篇文章）　共6道题（350字左右的中篇文章每篇3个问题×2篇）

3　内容理解（长篇文章）　共4道题（550字左右的长篇文章每篇4个问题×1篇）

4　信息检索　　　　　　　共2道题（600字左右的广告、传单等每篇2个问题×1篇）

■本书结构

为了通过上文所述日语能力考试，本书按照逐步推进的方式设置了阅读日语文章和信息检索素材的练习。

　　　能力提高篇　第1部分　掌握基础能力

　　　　　　　　　　　　　1　熟悉文章体用语

　　　　　　　　　　　　　2　提高阅读速度

　　　　　　　第2部分　阅读各种文体的文章

　　　　　　　第3部分　从广告、通知等文章中检索信息

　　　　　　　第4部分　实战练习

　　　模拟题

下文将详细说明。

能力提高篇　**第1部分　掌握基础能力**

在第1部分，为了那些尚未熟悉日语文章阅读的学习者，设置了文章阅读的基础练习。包括以下两个部分。

1　熟悉文章体用语

2　提高阅读速度

1　熟悉文章体用语

在这里为了理解日语文章体用语的特点我们来做练习。

参加日语能力考试N3级别考试的考生，很多人之前一直学习的主要是日语的口语体，对于文章体的日语词汇还不是太熟悉。另一方面，伴随着日语水平的提升，文章体词汇中越来越多地使用与口语体不同的词汇和表达方式。因此本书中首先介绍日语文章体用语的特点，然后做练习来熟悉这些特点。

　　　　·文章体的文体　　　　　·汉字词和和语词

　　　　·助词功能的词语　　　　·句型组合

注意以上这些点的话，文章体用语就会渐渐容易理解。

与N4级别相比，N3级别的文章中单个句子的长度会增长，文章篇幅也更长，因此给人印象是更加难懂。很多参加N3级别考试的人在阅读文章时，会边思考一个一个单词的意思边阅读。因此不少人在阅读上要花费很多时间。因此在这里我们列举了能够提高阅读速度的要点。

·把握文章话题	·思考谁做的、什么做
·熟悉长句子	·推测出单词的意思
·预测后文内容	·注意指示词
·理解文章结构	·理解作者的心情

反复做这些练习，就可以掌握更加快速、正确理解文章的诀窍。另外，要提高阅读能力，汉字、词汇的掌握和语法知识及对于语法项目的理解也是必不可少的。在学习本书的过程中一并通过练习提高这些能力吧。

第2部分　阅读各种文体的文章

在这里将列举下列类型的文章，这些文章都是实际考试中经常出现的题型，我们将对其进行解释说明，并介绍答题技巧。

·邮件（私人）	·书信
·提示便条	·操作说明
·观点阐释文	·解释说明文
·散文随笔	

熟悉各种文体的文章后，就能更加准确、高效地理解文章。

另外，由于第2部分的编写目的是介绍各种文章的文体格式和解答方法，因此文章的长度和问题数量与实际考试不一定一致。

第3部分　从广告、通知等文章中检索信息

2010年开始实施的新的"日语能力考试"中，广告、通知等也出现在试题当中。考生阅读这些文章时，需要使用与第2部分不同的阅读方法。例如，不是全篇从头到尾认真阅读，而是全篇大致浏览之后掌握文章的写作目的和想要传达的意思，或者只阅读需要阅读的部分，等阅读方法。实际考试时各种类型的文章都可能在出题范围之内，本书仅列举下列类型的文章。

·广告	·传单
·通知	·药品使用说明书
·图表	·邮件（商务）

通过这些练习来熟练掌握信息检索的方法吧。

第4部分　实战练习

本节将解答与实际考试相同形式的问题。
- 内容理解（短篇文章）（150-200字左右的短文每篇1个问题）
- 内容理解（中篇文章）（350字左右的中篇文章每篇3个问题）
- 内容理解（长篇文章）（550字左右的长篇文章每篇4个问题）
- 信息检索（600字左右的广告、传单等每篇2个问题）

为了能够快速而且准确地阅读文章，不仅要掌握汉字、词汇和语法知识，而且多做练习题也很重要。通过做第4部分的练习题，可以逐步提高阅读能力。

关于"词汇表"

在第2部分、第3部分和第4部分中，设置了词汇表集中列举练习文章中出现的语句和表达方式。只阅读正文下面的（注）仍然无法理解这些词语时，请参阅词汇表。词汇表中的词汇都是经常使用的词语，建议大家借此机会牢牢记住。

日语能力考试试题与本试题集的对应关系表（"模拟题"除外）

日语能力考试试题	与之对应的本试题集练习题
内容理解（短篇文章）	第1部分　掌握基础能力 　1　熟悉文章体用语 1)、2) 　2　提高阅读速度 1)、2) 第2部分　阅读各种文体的文章 1)、3) 第4部分　实战练习　1　内容理解（短篇文章）
内容理解（中篇文章）	第1部分　掌握基础能力 　1　熟悉文章体用语 3)、4) 　2　提高阅读速度 3)～9) 第2部分　阅读各种文体的文章 2)、4)、5)、6) 第4部分　实战练习　2　内容理解（中篇文章）
内容理解（长篇文章）	第2部分　阅读各种文体的文章 7) 第4部分　实战练习　3　内容理解（长篇文章）
信息检索	第3部分　从广告、通知等文章中检索信息 第4部分　实战练习　4　信息检索

模拟题

模拟题中包含与实际的日语能力考试完全相同题型、相同数量的试题。考试时"语言知识（语法）、阅读"的考试时间是70分钟，自己确定阅读考试的时间分配，做试题的同时测算一下自己所需的时间吧。

■表记

· 表记依据的是常用汉字和『新しい国語表記ハンドブック［第五版］』（三省堂）。
· 对于词汇中包含旧版日语能力考试级别考查以外的汉字和1级、2级汉字的词语，以及一般认为读法特别难的词语，标记了读音送假名。
· 在正文和别册的解说中，所有汉字都标记了读音送假名。

关于"读音送假名"

本试题集中为了不擅长阅读汉字的考生考虑，多处标记了读音送假名。遇到不认识的单词请随后自己查阅。实际考试当中，读音送假名标记数量要更少一些。

実力養成編 <ruby>実力養成編<rt>じつりょくようせいへん</rt></ruby> 第1部 基礎力をつけよう

第1部では、読解に慣れるための基本的な練習をします。

1. 書き言葉に慣れよう

　日本語の文章は難しそうに見えますが、そんなことはありません。日本語の書き言葉の特徴を理解すれば、読みやすくなります。

1）書き言葉の文体
2）漢語と和語
3）助詞のような働きをする言葉
4）文型の組み合わせ

それぞれの練習をして、書き言葉に慣れましょう。

2. 読むスピードを上げよう

　Ｎ３レベルの読解を受験しようとしている人は、一つ一つの言葉や文法の意味を考えながら読む人が多いです。しかし、速く読むために、下のようなことにも注意してみましょう。

1）どんな話かをつかむ
2）「だれが」「何が」を考える
3）長い文に慣れる
4）知らない言葉を推測する
5）あとの内容を予測する
6）指示語を意識する
7）文章の構造を理解する
8）筆者の気持ちを理解する

1. も **2.** もそれぞれの練習は、以下のような順番になっています。

　読む前に：ここで学ぶポイントについての簡単な質問。答えは各ページの下にあります。

　問題：長いものも短いものもありますが、問いは一つか二つです。

　ここに気をつけよう：テーマについての説明

　練習：テーマに関係する練習

In Part 1, you study the basics for improving reading comprehension.

1. Getting used to written Japanese
Texts written in Japanese appear difficult, but this is not the case. If you can understand the characteristics of written Japanese, it becomes easy to read.
1) Styles used in the written language
2) *Kango* and *wago*
3) Words that function like particles
4) Combination of different grammatical forms in the sentence
Familiarize yourself with the written language by doing each of these exercises.

2. Increasing your reading speed
Those who wish to take the N3 Level reading comprehension examination often read while considering the meaning of words and grammar on a word-by-word basis. However, to read quickly, you should take note of the following.
1) Getting the drift of what is being said
2) Who and what are being discussed?
3) Getting used to long sentences
4) Inferring the meaning of unknown words
5) Predicting what comes next
6) Demonstrative terms
7) Understanding text structure
8) Understanding the mood of the author

Exercises in both 1. and 2. are presented in the following sequence.
Preparation before reading: Simple questions about the point to be studied in the section. The answers are at the bottom of each page.
Questions: These comprise both long and short (reading) texts; there are one or two questions
Points to be aware of: Explanations for each of the topics
Exercises: Exercises relating to the topic

第1部分做基础练习，来熟悉阅读。

1 熟悉文章体用语

日语文章虽然看似很难，但实际并非如此。如果理解了日语文章体用语的特点，文章就会易于理解。

1）文章体的文体
2）汉字词和和语词
3）助词功能的词语
4）句型组合

做各种练习来熟悉文章体用语吧。

2 提高阅读速度

打算参加N3级别阅读考试的人，很多人会边思考一个个词语和语法的意思边阅读。但是为了提高阅读速度，请留意下列事项。

1）把握文章话题
2）思考谁做的、什么做
3）熟悉长句子
4）推测生单词的意思
5）预测后文内容
6）注意指示词
7）理解文章结构
8）理解作者的心情

第1和2部分练习项目设置顺序如下：
阅读前：就此处学习的要点进行简单的提问。答案在各页下面。
试题：长篇文章短篇文章都有，设置1个或2个问题。
特别提示：关于各专项的解释说明
练习：与各专项相关的练习

読む前に 「日本語なのです。」は、「だ体」「である体」では、どのように書きますか。

（答えはこのページの下にあります。）

◇◇◇

★ 問題1 つぎの文章を読んで、質問に答えなさい。答えは、1・2・3・4から最もよいものを一つえらびなさい。

　私たちは、いろいろな場面に合わせて服を着替える。たとえばふだんはTシャツにジーンズの人も、パーティーのときはスーツやきれいな服を①着るのではないだろうか。言葉も同じで、それぞれの場面などによって②使いわける。

　たとえば、日本語は、話すときと書くときで文体が違う。また、書き言葉の中には「です・ます体」「だ体」「である体」などの文体がある。初級では、話し言葉の日本語を中心に③勉強してきた。中級では書き言葉を学ぶことも増えてくる。「だ体」「である体」という文体も知っておけば、文章が④読みやすくなるだろう。

～ておく

問い この文章の内容と合っているものはどれか。

1　日本語にはさまざまな文体があり、場面などによって変えている。

2　中級の日本語では、書き言葉より話し言葉を中心に勉強する。

3　日本語では、書き言葉と話し言葉の文体がよく似ている。

4　日本語の話し言葉には、「です・ます体」「だ体」「である体」の文体がある。

（答え：「日本語なのだ」、「日本語なのである」）

日本語にはさまざまな文体があるが、意味は同じである。それぞれの文体を覚えよう。
Japanese has various different writing styles (depending on verb endings), but the meaning is the same. Please memorize these forms.
日语中存在各种文体，它们表达的意思相同。请记住这些文体。

練習1　下の文体を「です・ます体」に変えなさい。

①着るのではないだろうか　→　*ではないでしょうか*

②使いわける　→　*わけます*　　　③勉強してきた　→　*くてきました*

④読みやすくなるだろう　→　*なるでしょう*

練習2　下の表の_____部分に適当な語を入れなさい。

	です・ます体（手紙など）	だ体	である体
名詞	学生です 学生*ではありません*② 学生でした 学生ではありませんでした	学生だ 学生ではない 学生だった 学生ではなかった	学生*である*① 学生であった
ナ形容詞	便利です 便利*ではありません*③ 便利でした 便利*ではありませんでした*④	便利だ 便利ではない 便利だった 便利ではなかった	便利である 便利であった
イ形容詞	大きいです 大き*なせ*⑤*くないです* 大きかったです 大きくなかったです・大きくありませんでした	大きい 大きくない 大きかった 大きくなかった	
動詞	見ます 見*ません*⑥ 見ました 見*ませんでした*⑦	見る 見ない 見た 見なかった	
その他	ある*でしょう*⑧ あるのです⑩ あるのでしょうか⑪ 見ましょう⑫ 見ています⑬ 問題*ではありませんか*⑭ 言わなければありません⑮ 多いわけではありません⑯ しないはずです⑰	あるだろう⑨ あるのだ あるのだろうか 見よう 見ている 問題ではないか 言わなければならない 多いわけではない しないはずだ	あるであろう あるのである しないはず*である*⑱

「10時に集合。」の「集合」と同じ意味はどれですか。

　　　ａ．集まる　　ｂ．来る　　ｃ．合う　　　　　　　　　　　　　（答えはこのページの下にあります。）

★ 問題2　つぎの文章は見学の報告書である。文章を読んで、質問に答えなさい。答えは、1・2・3・4から最もよいものを一つえらびなさい。

リサイクルセンター見学実施報告書

　6月20日（土）教師2名が留学生12名を連れ、谷町にあるリサイクルセンターの見学を行った。谷町駅前に9時例集合。リサイクルセンターまでＡ徒歩で行く。9時10分Ｂ到着。リサイクルセンター3階の会議室で、センター長にあいさつする。センターの職員からリサイクルについての説明があり、その後、質疑応答。ごみの分別クイズなども行う。

　職員の案内で施設見学。ペットボトルの再利用の説明を受ける。センターの祭りの日であったため、大型家具の引き取り(注1)や展示・Ｃ販売、壊れたおもちゃのＤ修理、フリーマーケットなどが行われていた。20分の自由時間で留学生は買い物を楽しむことができた。

　11時に見学終了。センターの出口で解散。

(注1) 引き取り：いらなくなった物を受け取ること

問い この文章の内容と合っているものはどれか。

1　センターに着いて、まず施設の見学を行った。

2　センターでは家具を直してくれる。

3　留学生が買い物をする時間があった。

4　留学生はセンターの前に9時に集まった。

（答え：ａ．集まる）

N３の読解の文章では漢語が多くなる。
The number of *kango* (Chinese-derived words) increases in N3 reading material.
N3 级的阅读文章中汉字词增多了。

和語⇒日本に元からある語。おもにひらがなまたは漢字 (訓読み) で書かれる。
Wago ⇒ Indigenous Japanese words. They are mostly written using *hiragana* or *kanji* (*kunyomi*).
和语词⇒日语中固有词汇。主要用平假名或者汉字（训读）书写。

漢語⇒昔、中国から入った、または日本で作られた漢字の語。おもに音読みである。
Kango ⇒ Words written using characters imported from China or created in Japan long ago. They mostly use *onyomi*.
汉字词⇒以前从中国传入的、或者在日本创造的汉字词汇。主要是音读。

一般に和語は話し言葉、漢語は書き言葉でよく使われ、漢語のほうが和語よりかたいイメージになる。
Generally *wago* is used in spoken Japanese while *kango* is used for the written language. *Kango* is perceived as being more formal than *wago*.
一般情况下和语词经常是口语，汉字词是文章体用语，汉字词比和语词书面语色彩更浓。

漢語がわからなくても、それぞれの漢字を知っていれば、だいたいの意味がわかることが多い。
Even if you do not understand *kango*, you can often grasp the general meaning if you know the individual characters.
很多情况下即使不认识某个汉字词，只要知道各个汉字的意思，也能知道其大致意思。

練習１　本文のA〜Dと同じ意味を表す言葉を下の□から選びなさい。

例. 集合　→　ウ

A. 徒歩で　→　エ　　　　　　　B. 到着　→　ア

C. 販売　→　イ　　　　　　　　D. 修理　→　オ

| ア. 着く | イ. 売る | ウ. 集まる | エ. 歩いて | オ. 直す |

上の例とA〜Dの語は漢語、ア〜オの語は和語である。

練習２　漢語を和語に、和語を漢語に変えなさい。

＜漢語→和語＞

①清潔に　→　　　　②下車する　→　　　　③早退する　→

＜和語→漢語＞

④家に帰る　→　　　　⑤確かめる　→　　　　⑥すぐ後に　→

読む前に　「雨のおかげで草が育った。」と「雨のせいで草が育った。」はどう違いますか。

（答えはこのページの下にあります。）

◇◇

☆ 問題3　つぎの文章を読んで、質問に答えなさい。答えは、1・2・3・4から最もよいものを一つえらびなさい。

　日本人はまじめでよく働くと言われる。そして日本の技術力は世界的にも高く評価されている。まじめで高い技術力を持つようになったのはなぜだろう。それは日本の資源の少なさに関係がある。

　日本は石油や鉄鉱石(注1)など製品の原材料となる資源が少ない。そのために原材料を輸出して利益を得ることができないのだ。その代わりに海外からそれらを輸入し、自動車や電気製品などの製品を作り、それを輸出することによって利益を得ている。つまり、まじめに働き、技術力を高め、よい製品を作ることが、日本が利益を得るためには必要なのである。　　　　　　　　　　　　　　　　　　　5

　資源が少ないことは、国にとってはマイナスであるように見えるが、必ずしもそうとは言えない。日本においては、少ない資源のおかげでまじめな国民性が生まれ、高い技術力が育ったとも言えるからだ。

(注1) 鉄鉱石：鉄の原料となる石

問い この文章の内容と合っているものはどれか。
1　日本はよい製品を輸入している。
2　資源が少ないから日本人は不幸だ。
3　資源が少ないから日本人はまじめになった。
4　日本は資源を輸出している。

（答え：「おかげで」は雨をよい事、「せいで」は悪い事ととらえている。）

「によって」「のおかげで」などは助詞のような働きをする言葉である。N3以上の読解の文ではよく使われるので、文法の本で確認しておこう。

によって, のおかげで (due to, thanks to) and other expressions are words that function as particles. They are frequently used in explanatory texts at N3 level or higher, so be sure to check them in the grammar text.

「によって」（根据）「のおかげで」（承蒙关照）等词相当于助词的功能。在 N3 以上级别的阅读中经常使用，请参阅语法书。

10ページの本文で使われているもの　Terms used in the main text on page 10　10页正文中使用的词语

- ・〜によって……「製品を輸出することによって利益を得る。」
　　　　　　　　　　　　　方法

- ・〜にとって (は) ……「資源が少ないことは、国にとってはマイナスである。」
　　　　　　　　　　　　　視点

- ・〜において (は) ……「日本においてはまじめな国民性が育った。」
　　　　　　　　　　　　　場所

- ・〜のおかげで……「少ない資源のおかげで、まじめな国民性が生まれた。」
　　　　　　　　　　　　　原因

そのほか、「〜について」「〜に対して」などもよく使われる。

Additionally, you will see that 〜について , 〜に対して (about, regarding) and other phrases are often used too.

除此之外，也经常使用「〜について」（关于）「〜に対して」（对于）。

練習　下線部に入る最も適切なものを下の□□□から選びなさい。

1. 長雨＿＿＿＿＿野菜の値段が上がって困る。

2. 先生の指導＿＿＿＿＿試験に合格することができた。

3. 日本人＿＿＿＿＿富士山や桜は特別な存在だ。

4. 風力発電とは風の力＿＿＿＿＿電気を作り出すことである。

5. 会社＿＿＿＿＿は会社のルールに従わなければならない。

| ア．にとって　　イ．のおかげで　　ウ．のせいで |
| エ．において　　オ．によって |

「遅刻してしまいそうだ。」と「遅刻しそうだ。」はどう違いますか。

（答えはこのページの下にあります。）

◇◇

★ 問題4　つぎの文章を読んで、質問に答えなさい。答えは、1・2・3・4から最もよいものを一つえらびなさい。

　今朝は最悪だった。かけておいたはずの目覚まし時計が鳴らず、1時間も寝坊をしてしまったのだ。いつもは駅までウォーキングのつもりで30分歩いているのだが、もうそんな時間はない。バスを使うことにして、バス停に並んだ。しかし、今度はバスがなかなか来ない。時刻表には5分間隔と書いてあるのに、なんと20分も待たされてしまった。このままでは2時間近く遅刻してしまいそうだ。この前上司(注1)から「余裕を持って来るように。」と言われたばかりなのに、ちっとも進歩しない。ああ、自分が怒られている様子が目に浮かぶ(注2)。

　駅で大事なことに気がついた。今日は日曜日だったのだ。目覚まし時計が鳴らなかったのも、バスが平日の時刻表通りに来なかったのも、今日が日曜日だからだったのだ。よかった。怒られないで済む。しかし、ずいぶん無駄な心配をしてしまった。私は得をしたような、損をしたような複雑な気持ちで家までの道を30分歩いて帰った。

(注1)上司：会社で自分よりも地位が上の人
(注2)目に浮かぶ：その様子が簡単に想像できる

問い　損をしたようなとあるが、なぜか。

1　急がなくてもいいのに急いでいろいろ心配してしまったから。
2　平日なのに日曜日だと思って寝坊をしてしまったから。
3　余裕をもって会社に着けなくて上司から怒られてしまったから。
4　急いだのにバスも電車も来なくて会社に遅れてしまったから。

（答え：「遅刻してしまいそうだ」は、「〜てしまう」で残念な気持ちが加えられている。）

文型の組み合わせ　Combinations of different grammatical forms in the sentence　句型組合

ここに気をつけよう　一つの文の中にいろいろな文型が組み合わされていることがある。これは話し言葉にも見られるが、書き言葉では特に注意して、組み合わされたそれぞれの文型を正しく理解しよう。

Sometimes different grammatical forms (typically verb endings variously indicating tense, reported speech, completion, state, etc.) are combined within one sentence. This also occurs in spoken language, but you need to be particularly careful with written language to correctly understand each grammatical form as used in combination with others.

有时一个句子中会有多个句型组合在一起。这种现象虽然口语中也存在，但文章体用语中要特别引起注意，要正确理解组合在一起的每个句型的意义。

◇◇

練習　次の文の下線部にはどんな文型が含まれているか、下の▢▢▢から選びなさい。

例：遅刻してしまいそうだ。

　　　　遅刻する　→　遅刻してしまう　①　エ

　　　　　　　　　　　遅刻してしまいそうだ　②　キ

1．山田さんはもう結婚されているはずです。

　　　　結婚する　→　結婚される　③＿＿＿＿＿＿

　　　　　　　　　　　結婚されている　④＿＿＿＿＿＿

　　　　　　　　　　　結婚されているはずです　⑤＿＿＿＿＿＿

2．田中さんは30分も待たされてしまったそうです。

　　　　30分待つ　→　待たせる　⑥＿＿＿＿＿＿

　　　　　　　　　　　待たされる　⑦＿＿＿＿＿＿

　　　　　　　　　　　待たされてしまう　⑧＿＿＿＿＿＿

　　　　　　　　　　　待たされてしまった　⑨＿＿＿＿＿＿

　　　　　　　　　　　待たされてしまったそうです　⑩＿＿＿＿＿＿

ア．「〜ている」(進行中の動作)　Actions in progress　动作在进行中	イ．「〜ている」(状態)　State　状态
ウ．「〜てしまう」(完了)　Completion　完了	エ．「〜てしまう」(残念な気持ち)　Feeling of regret　遗憾的心情
オ．「〜た」(過去)　Past tense　过去	カ．「〜そうだ」(伝聞)　Reported speech　传闻
キ．「〜そうだ」(様態)　Mode, manner　样态	ク．「〜はずだ」(確信)　Conviction　确信
ケ．「〜(ら)れる」(受身)　Passive　被动	コ．「〜(ら)れる」(尊敬)　Honorific language　尊敬
サ．「〜(ら)れる」(可能)　Potential　可能	シ．「〜(さ)せる」(使役)　Causative　使役

2. 読むスピードを上げようIncreasing your reading speed　提高閲読速度

1）どんな話かをつかむ　Getting the drift of what is being said　把握文章話題

　「ペット・飼う・家族」という言葉から、どのような内容が考えられますか。
自由に考えてください。

（答えはこのページの下にあります。）

◇◇

☆　問題5　つぎの文章を読んで、質問に答えなさい。答えは、1・2・3・4から最もよいものを一つえらびなさい。

　犬、猫、小鳥など、ペットにはさまざまな種類があるが、今では家族の 一員 として扱われることが多い。たとえば、以前、犬は家の外で飼われていたが、今では家の中で飼われることが多くなった。また、寒いときは服を着せたり、おもちゃを買ってやったり、病気になれば病院に連れて行ったりと、子どものように大切にされるようになっている。マンションでもペットが飼えるところが人気だ。

　これが人間の子どもなら、大きくなるにつれてだんだん親に 反抗する こともあり、親が思うように育たないこともある。しかし、ペットはいつまでも小さな子どものような純粋な心のままで、飼う人をしたって(注1)くる。それがかわいくてしかたがない存在になっているのではないだろうか。

(注1) したう：相手のことが大好きで、離れずについてくる

問い　この文章の内容と合っているものはどれか。
1　ペットが愛されるのは、小さな子どものような存在だからだ。
2　ペットは、家族の一員のように大切にしなければならない。
3　最近、ペットは人間の子ども以上に大切にされている。
4　ペットを子どものようにかわいがるのは、やめたほうがいい。

（答え：ペットを家族のように飼うこと／ペットと家族の関係など）

14　実力養成編　第1部　基礎力をつけよう

本文のキーワードに注目し、重要な文／部分（それがどうしたか、それはどんなか、それは何かなど）を考えながら読むと、話の内容が理解しやすくなる。

When reading, it is easier to understand what is being said if you focus on the keywords, and give due consideration to the major sentences and phrases (what happened, what kind of ~ is it, what is being talked about, etc.)

关注正文中的关键词，边思考重要句子／部分（那是为什么、什么样的、什么等）边阅读，这样更容易理解文章内容。

Ⅰ．キーワードに注目　Focusing on keywords　关注关键词

キーワードとは、文章にくりかえし出てくる重要な言葉である。似たような言葉に言い換えている場合もある。　Keywords are important words that appear repeatedly in the text. Often different words are used to say the same thing. 所谓关键词是指文章中反复出现的重要词汇。有时也会用相似的词语变换说法。

14ページの文章のキーワード　→

> ペット、飼う、家族（親・子ども）…

Keywords in sentences on Page 14　14 页文章中的关键词

キーワードに注意して、テーマ（全体で何について書かれているか）を考えよう。

Focusing on the keywords, give thought to the theme (what is the overall topic that is being discussed?)

留意关键词，思考文章主题（文章全篇围绕什么内容）。

ふつうの文章はタイトルなどがあるのでテーマがわかりやすいが、日本語能力試験の文章はテーマがわからない。キーワードを意識してどのような話かをつかむ必要がある。

In ordinary text, there will be a title and other indicators that make the topic easy to understand. However, during the JLPT examination, you will not know the text topics. You will have to understand what is being discussed by recognizing the keywords.

普通的文章因为有题目所以文章主题很好把握，但日语能力考试中的文章主题不明确。需要留意关键词来把握文章主题。

練習1　この文章のテーマは何か。適当なものを選びなさい。

a．ペットの種類

b．ペットの世話の大変さ

c．ペットがかわいい理由

Ⅱ．重要な文／部分に注目　Focus on important sentences and clauses　关注重要句子／部分

各段落の中で、重要だと思われる部分に線を引こう。

Draw lines separating the different elements of each paragraph which you consider to be significant.　请把各段重要的部分画上横线。

練習2　下の＿＿＿に適切な言葉を入れて、各段落をまとめなさい。本文の言葉を変えてもよい。

第1段落：ペットは今では＿＿＿＿＿＿＿＿＿＿＿＿＿＿＿＿＿＿＿＿＿＿＿＿＿＿＿。

第2段落：ペットは＿＿＿＿＿＿＿＿＿＿＿＿＿＿＿＿＿＿＿＿＿＿＿＿＿＿ので、

＿＿＿＿＿＿＿＿＿＿＿＿＿＿＿＿＿＿。

2) だれが・何がを考える　Who and what are being discussed?　思考谁做的、什么做

読む前に　「電車でお年寄りに席を譲ろうとしたが、断られた。」

断られたのはだれですか。　　A　お年寄り　　B　自分

（答えはこのページの下にあります。）

⭐ **問題6**　つぎの文章を読んで、質問に答えなさい。答えは、1・2・3・4から最もよいもの を一つえらびなさい。

　電車やバスに乗っていると、お年寄りや体の不自由な人に席を譲らない若者を見かけます。しか し、席を譲らない若者に_A聞いてみると、以前は譲ろうとしたことがあるが、_B断られてしまって、 その後はもう譲ろうという気持ちをなくしてしまったという人も多いのです。

　若い人にとって、知らない人に声をかけるのは少し緊張します。人に席を譲るのは少し勇気がい ります。「どうぞ」と声をかけたときに、感謝のことばと笑顔が返ってくれば、_C次もまた譲ろうと いう気持ちになります。だから、もし席を譲られたら、「その必要はない」と思っても、素直に座 り、笑って「ありがとう」と①答えてあげてほしいと思います。

5

問い　①答えてあげてほしいと思っているのはだれか。

1　お年寄りや体の不自由な人

2　席を譲らない若者

3　若い人

4　この文を書いた人

（答え：B　自分）

文章の中で以下のような表現が使われていたら、「だれが・何が」、「だれに・何に」、「だれを・何を」を考えることが重要である。

If any of the following grammatical forms are used in the sentence, it is necessary to consider the questions だれが / 何が , だれに / 何に , だれを / 何を (who or what, to whom or to what, and whom or what in the object case).

文章中出现以下词语表达的话，一定要思考「だれが・何が」（谁、什么）、「だれに・何に」（对于谁、什么）、「だれを・何を」（怎么了谁、做了什么）。

受身（「れる・られる」）　Passive　被动

使役受身（「（さ）せられる」）　Causative passive　使役被动

授受表現（「てあげる」「てもらう」「てくれる」）　Offering and receiving expression　授受关系

要求（「たい」「たがる」「てほしい」）　Request or demand　要求

これを正しく理解しないと、文章を誤解してしまうことがある。

If you do not correctly understand this, you run the risk of misunderstanding the text.

如果不正确理解此处的话，可能对整篇文章产生误解。

◇◇◇

練習　文章の中のＡ、Ｂ、Ｃについて、下の□□□から適切なものを選び、（　　　　）に入れなさい。

１．「しかし、席を譲らない若者に ₐ聞いてみると、……」

（　　　　　）が聞いてみる

（　　　　　）が聞かれる

２．「以前は譲ろうとしたことがあるが、ʙ断られてしまって、……」

（　　　　　）が断られた

（　　　　　）が断った

３．感謝のことばと笑顔が返ってくれば、c次もまた譲ろうという気持ちになります。

（　　　　　）が（　　　　　）に譲ろうという気持ちになる。

┌───┐
│ ①文章を書いた人　　②お年寄りや体の不自由な人　　③若者 │
└───┘

下の文で、「漢字」ということばを説明している部分はどこですか。[　　]で示してください。

日本ではふだん使う漢字を1945字に決めた。　　　　　（答えはこのページの下にあります。）

☆ 問題7　つぎの文章を読んで、質問に答えなさい。答えは、1・2・3・4から最もよいものを一つえらびなさい。

　漢字は5万字ほどもあると言われているが、これを全部使うのは大変だ。そこで、日本では1981年にふだん使う漢字を1945字に決め、これを常用漢字と呼んでいた。そして、なるべくこの範囲で漢字を使うようにした。この常用漢字の数が2010年に1945字から2136字に増えた。どうしてだろうか。

　それは、パソコンや携帯電話などの情報機器の発達により、手で書くのが難しかった漢字が簡単に表記(注1)できるようになり、漢字の使用が増えたためである。たとえば、気分が沈んだ状態である「ゆううつ」ということばをメールで使う場合、「憂鬱」と漢字で表記する人が増えている。この「憂鬱」は新しく常用漢字になった漢字である。

　しかし、日本に外国人が増加して、漢字が苦手な人もいるため、常用漢字を減らすべきだという意見もある。どのような漢字表記がよいのか、いつどこでどんな表記を使うのがいいか、さまざまな点から考えていかなければならないだろう。

(注1) 表記：文字などを使って、ことばを書き表すこと

問い 常用漢字の数が増えた理由は何か。
1　日本で生活したり、働いたりする外国人が増えているから。
2　漢字で書いたほうがわかりやすいから。
3　メールを使う人が増えたから。
4　情報機器が発達し、漢字の使用が増えたから。

（答え：日本では［ふだん使う］漢字を1945字に決めた。）

長い文は区切ってみよう。読みやすくなる。

「～が、～ので、～から、～と、～ば、～たら、～なら、～ても、～のに」などのあとも、文の区切りになる。

「、」のある場所も、切れ目のヒントになるが、いつもそこで区切れるとは限らない。

Try dividing long sentences into smaller parts. This makes them easier to read. Sentences can be divided after the words ～が , ～ので , ～から , ～と , ～ば , ～たら , ～なら , ～ても , ～のに etc. Use of a comma [,] also indicates where a sentence should—but not necessarily must—be divided.

试着把长句子分割成短句子吧，这样会更容易理解。「～が、～ので、～から、～と、～ば、～たら、～なら、～ても、～のに」等可以作为句子分割标记。有「、」的地方也可以作为句子分割的提示，但并不一定总是在此断开。

Ⅰ. 長い文の切れ目　Division of long sentences　长句子的分割标记

練習1　下の文の意味の切れ目に／を一つ入れて、二つに分けなさい。

そこで、日本では1981年にふだん使う漢字を1945字に決め、これを常用漢字と呼んでいた。

Ⅱ. 名詞をくわしく説明する部分　Phrases that explain a noun　详细解释名词的部分

名詞をくわしく説明する部分は、その名詞の前にある。

たとえば、「ゆううつ」という言葉は難しいが、前に説明がある。

Phrases that explain a noun in more detail usually go before the noun in question. For example, the word ゆううつ (depression) is difficult, and so it is preceded by an explanatory phrase.

详细解释名词的部分在名词的前面。例如，虽然「ゆううつ」(忧郁) 这个词很难理解，但前面有解释。

たとえば、<u>気分が沈んだ状態である</u>「ゆううつ」ということばを……
　　　　　　　↑ここが説明の部分　　　名詞
　　　　　　　This is the explanatory phrase
　　　　　　　这里是解释部分

名詞を説明する部分がどこからどこまでかを理解し、一つのまとまりと考えると、文がわかりやすくなる。

If you understand where the phrase explaining the noun begins and ends, and consider the sentence as a whole, it becomes easier to understand.

把握修饰名词的定语从哪里开始，到哪里结束，当作句子的一个句节，这样句子会更容易理解。

練習2　本文中の＿＿＿の名詞を説明している部分を [　　　] で示しなさい。

1. それは、パソコンや携帯電話などの情報機器の発達により、手で書くのが難しかった<u>漢字</u>が簡単に表記できるようになり、漢字の使用が増えたためである。

2. しかし、日本に外国人が増加して、漢字が苦手な人もいるため、常用漢字を減らすべきだという<u>意見</u>もある。

「不要なものをたくさん捨てたら、爽快な気持ちになり、仕事もうまくいくようになった。」この文の「爽快な」とはどのような意味でしょうか。辞書を使わずに考えてください。

（答えはこのページの下にあります。）

⭐ **問題8**　つぎの文章を読んで、質問に答えなさい。答えは、1・2・3・4から最もよいものを一つえらびなさい。

　あなたの部屋はきちんと片づいていますか。ものが増えてくると、A片づけに悩まされる人が多いと思いますが、片づけの専門家の小松さんは、片づけは、「B整理」と「C整頓」であると言っています。整理はいらないものを捨てること、整頓は使いやすいように置く、D配置することを意味します。

　整理は「出す」「分ける」「減らす」「しまう」という4つの動作に分けられます。例えば机の下の段の引き出しをきれいにしようと決めたら、そこに入っているものを全部「出す」。次に、出したものを必要か、必要ではないかに「分ける」。さらに、必要ではないものを処分し(注1)「減らす」。最後に、元にあった場所にものを「しまう」の4つです。

　片づけは「整理8割(注2)、整頓2割」。「整理」に徹底的に取り組めば(注3)、8割がE終了していると言えます。

（小松易『3秒でやる気にスイッチ！仕事が変わる「ひとこと片づけ術」』
日本能率協会マネジメントセンターより）

(注1) 処分する：いらなくなったものなどを捨てたり、売ったりする

(注2) 8割：80%

(注3) 取り組む：問題を解決するために熱心に何かをする

問い この文章を書いた人は、片づけをするのに何が一番大切だと言っているか。

1　引き出しをきれいにしておくこと

2　使ったものを元の場所にしまうこと

3　いらないものを減らすこと

4　ものを使いやすいように置くこと

（答え：あとに「仕事もうまくいくようになった。」とあるので、「爽快」はよい気持ちだとわかる。）

知_しらない言_{こと}葉_ばを推_{すい}測_{そく}する　Inferring the meaning of unknown words　推测生单词的意思

知_しらない言_{こと}葉_ばがあっても、前_{ぜん}後_ご関_{かん}係_{けい}からだいたいの意_い味_みを考_{かんが}えられることがある。また、その説_{せつ}明_{めい}がどこかに書_かかれていることもある。どうしてもわからなかったら、無_む視_しして先_{さき}を読_よむ。

Even if there are words that you do not know, you can sometimes work out the general meaning from the context. You sometimes do not know where the explanation part is. If, despite your best efforts, you cannot understand, ignore it, and read on.

有时即使有不认识的单词，但从词语前后关系也能知道其大致的意思。另外，有时其解释也可能写在文章别的地方。如果无论如何都无法搞懂的话，可以跳过接着阅读下文。

◇◇

練習　言_{こと}葉_ばの意味を説_{せつ}明_{めい}しなさい。

A　片_{かた}づけ　_____（ヒント：「片_{かた}づける」と似_にている。）

B　整_{せい}理_り　_____（ヒント：本_{ほん}文_{ぶん}に書いてある。）

C　整_{せい}頓_{とん}　_____（ヒント：本_{ほん}文_{ぶん}に書いてある。）

D　配_{はい}置_ちする_____（ヒント：漢字の意味から考える。）

E　終_{しゅう}了_{りょう}する_____（ヒント：漢字の意味から考える。）

「確かに、欲しいものが買えたら幸せかもしれません。しかし…」という文のあとには、どのような内容が来ると思いますか。

(答えはこのページの下にあります。)

⋄⋄

☆ 問題9 つぎの文章を読んで、質問に答えなさい。答えは、1・2・3・4から最もよいものを一つえらびなさい。

「よい買い物をした」と思うのはどんなときでしょうか。安くてよいものが買えたとき、と答える人が多いかもしれません。

確かに、よい品物を安く買えたとき、私たちはとてもうれしい気持ちになります。「安さ」「よさ」が買い物を満足させるとても大切な要素であることは間違いないでしょう。しかし、これ以外の理由で「よい買い物をした。」と思える商品があります。寄付(注1)つきの商品といって、その売り上げの一部がボランティア(注2)組織などへ寄付されるというものです。値段は安くはないですが、それを買うことで「困っている人の助けになる」ことができます。自分の好きなものが手に入り、同時に困っている人の助けになる。このときも「よい買い物をした」と思えるものです。

(注1)寄付：団体などにお金や品物をあげること

(注2)ボランティア：お金のためではなく、社会に役立つことを進んでする人

問い この文章で一番言いたいことは何か。

1　安くてよいものを買ったときだけ、よい買い物をしたと思える。

2　品物がよかったときだけ、よい買い物をしたと思える。

3　安くなくてもだれかの役に立つと、よい買い物をしたと思える。

4　品物が悪くてもだれかの役に立つと、よい買い物をしたと思える。

(答え：「欲しいものが買えたら幸せ」とは反対の意見。「欲しいものが買えなくても幸せだ。」など)

あとにどのような内容が続くか予測しながら読むと、読みやすくなる。

Reading becomes easier if you anticipate what is to follow as you go along.

如果能推测出下文的内容的话，文章也会更容易理解。

◇◇◇

次のようなパターンは、筆者が言いたいことを述べるとき、よく使われる。

The following kinds of patterns are often used when the writer wishes to express an opinion.

下列模式是作者在表达观点时经常使用的。

> _____A_____ かもしれません。確かに_____A'_____ でしょう／かもしれません。
> しかし、_____B_____です。

……筆者が言いたいことは_____B_____。　B represents what the writer wishes to say.　作者想表达的观点是B。

練習

1.
> 失敗をするより、失敗をしないほうがいい、と思う人が多いかもしれません。
> 確かに…

このあと、次に来る文はa、bどちらだと予測できるか。

a．失敗をすることのよい点や失敗をしないことの悪い点。

b．失敗をすることの悪い点や失敗をしないことのよい点。

2.
> 確かに、失敗をするとやる気がなくなったり、次の挑戦が怖くなることもあるでしょう。

このあと、次に来る言葉はa、bどちらだと予測できるか。

a．だから

b．しかし

3.
> しかし、失敗することで、今の課題や自分の得意なこと不得意なことなど、いろいろな
> ことがわかるものです。

筆者が一番言いたいことはa、bどちらの内容だと予測できるか。

a．失敗することにもよい点があるのだから恐れずに挑戦することが大切だ。

b．しっかりと準備をしてなるべく失敗をしないようにすることが大切だ。

6) あとの内容を予測する② Predicting what comes next (2) 预测后文内容②

読む前に

「父の部屋には古い時計があるのですが、ずっと動かしていませんでした。でも、…」という文のあとには、AとBのどちらが来ると思いますか。

A　時計は動いていました。　　B　時計は動いていませんでした。

（答えはこのページの下にあります。）

☆ **問題10**　つぎの文章を読んで、質問に答えなさい。答えは、1・2・3・4から最もよいものを一つえらびなさい。

　1か月ぐらい前の夕方、ちょっと大きな地震がありました。そのとき、私も、一緒に住んでいる母も外出をしていて、家にはいませんでした。

　その晩のことです。私は何だかよく眠れなくて、ベッドでラジオを小さい音で聞きながらうとうと(注1)していました。夜中に何回か古い柱時計(注2)が鳴るのを聞いたように思いました。私はラジオの中で時計が鳴っているんだと思いました。

　Aところが、次の朝、別の部屋で寝ていた母が言いました。「きのうの晩、柱時計が鳴る音が聞こえなかった？」「Bまさか。うちのは何年も使っていないんだもの。鳴るはずがないよ。」亡くなった父の部屋には古い柱時計があるのですが、ずっと動かしていませんでした。でも、母も時計の音を聞いたのです。私は不思議に思いました。

　Cそこで、二人で時計のある部屋に行ってみると、時計はほんとうに動いていました。私たちはびっくりしましたが、すぐにわかりました。前の日の地震で家が揺れたとき、時計のふりこ(注3)も揺れ、自然に動き出して、時計が鳴ったのです。

　母は、父がこの時計を大切に使っていたことを思い出し、「この時計はまだ動くんだって伝えたかったのかもしれないね」と言って笑いました。それからは、またこの時計を動かして使っています。父も喜んでいるかもしれません。

(注1)うとうと：眠りが浅い様子
(注2)柱時計：イラスト参照　　(注3)ふりこ：イラスト参照

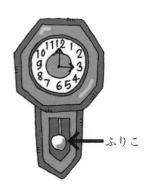
←ふりこ

問い　私は不思議に思いました。とあるが、なぜか。

1　動いていないはずの時計の音が聞こえたから。

2　別の部屋にいた母がラジオの時計の音を聞いていたから。

3　母が父の使っていた時計を動かしていたから。

4　亡くなった父の時計が止まっていたから。

（答え：A）

接続詞・副詞・文末の表現などは、あとの内容の予測のヒントになる。

You can get hints about what is coming from conjunctions, adverbs, and sentence-final expressions, etc.

接续词、副词和句末用语可以提示下文内容。

例：・きっと　→　～にちがいない

　　　・～はずだった　→　［実際は違う］　Differs from actuality　实际上并非如此

　　　・（きれい）だった　→　［今はそうではない］　Such is not the case now　现在并非如此

練習　以下の語句のあとにはａ、ｂのどちらが続くか。適当なものを選びなさい。

① ₐところが　→　ａ．意外なこと　ｂ．前の部分の結果

② ₈まさか　→　ａ．予想通りのこと　ｂ．実現しそうもないこと

③ ｃそこで　→　ａ．前のことをもとに、何かをする　ｂ．前のことの理由

読む前に　「朝一杯のコーヒー。私はこれがないと目が覚めない。」の「これ」は何をさしますか。

（答えはこのページの下にあります。）

◇◇◇

☆ 問題11　つぎの文章を読んで、質問に答えなさい。答えは、1・2・3・4から最もよいものを一つえらびなさい。

　コーヒーを多く飲む人ほど、肌のしみ（注1）ができにくいという研究結果がある。なぜコーヒーにそのような効果があるのだろうか。

　その仕組みは、こうである。

　太陽の光にあたると、人間の体内で「活性酸素」と呼ばれる物質ができる。これは、しみの原因となる物質「メラニン」を増やしてしまう。しかし、コーヒーにたくさん含まれる「ポリフェノール」という物質は活性酸素の働きを小さくしてくれるという。それで、コーヒーを飲む人はしみができにくいというわけだ。

　ポリフェノールをたくさん含むコーヒーは、美容にいい飲み物だと言えそうだ。

（注1）しみ：顔や手などにできる茶色い点

問い この文章によると、活性酸素とはどんな物質か。

1　しみをできにくくする物質

2　ポリフェノールを増やす物質

3　メラニンを増やす物質

4　コーヒーの中に多く含まれる物質

（答え：朝一杯のコーヒー）

文章の中の指示語　Demonstrative term in the text
文章中的指示词　　⇒「これ・それ・あれ／この・その・あの／…」

すぐ前の文の中に書かれていることを指すことが多いが、後ろにあるものを指すこともある。その場合は「こ（これ・この～など）」が使われることが多い。

Often refers to what is written in the previous sentence, but can also indicate what follows. In such cases, こ（これ・この～ etc.）are often used.

多数情况下指代位置相距最近的前文内容，有时也会指代后文内容。指代后文时，多使用「こ」系列指示词，如「これ・この～」等。

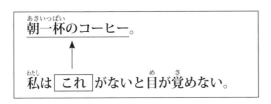

朝一杯のコーヒー。

私は　これ　がないと目が覚めない。

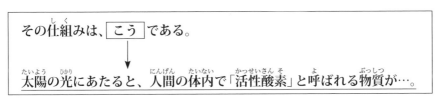

その仕組みは、　こう　である。

太陽の光にあたると、人間の体内で「活性酸素」と呼ばれる物質が…。

◇◇◇

練習　下の　　　の指示語が何を指すか書きなさい。

例：朝一杯のコーヒー。私は　これ　がないと目が覚めない。

　　　→私は　　朝一杯のコーヒー　　がないと目が覚めない。

1．コーヒーを多く飲む人ほど、肌のしみができにくいという研究結果がある。なぜコーヒーに　そのような　効果があるのだろうか。

　　　→なぜコーヒーに＿＿＿＿＿＿＿＿＿＿＿＿＿＿＿＿＿＿＿＿効果があるのだろうか。

2．トマトにはリコピンという物質が含まれているが、　これ　はガンの予防に効果があると言われている。

　　　→＿＿＿＿＿＿＿＿＿＿＿＿　は　ガンの予防に効果があると言われている。

3．初めて宇宙から地球を見て、彼は　こう　言った。「地球は青かった。」

　　　→　初めて宇宙から地球を見て、彼は＿＿＿＿＿＿＿＿＿＿＿＿＿＿＿＿＿＿＿＿と言った。

第1段落が「冷房は素晴らしい技術だ」という内容で始まる文章があります。その次の段落が「しかし」で始まっていたら、その文章全体の内容はどんなものだと考えられますか。

A　冷房のよい点だけを述べる。

B　冷房のよくない点も述べる。

（答えはこのページの下にあります。）

☆ 問題12　つぎの文章を読んで、質問に答えなさい。答えは、1・2・3・4から最もよいものを一つえらびなさい。

A　冷房という技術は本当に素晴らしく、私たちは暑い夏に冷房のおかげでいろいろ助けられている。例えば、勉強でも仕事でも、暑い中、汗をかきながらやるよりも、涼しいところでやったほうがずっと快適だ。

B　しかし、よいことばかりではない。実は、人の体温を調節する神経は5℃以上の急な変化を繰り返すことに弱いそうだ。夏の室外と室内の温度差は10℃以上になることもよくあり、そこを出たり入ったりしているうちに、この体温を調節する神経がうまく働かなくなることがあるのだ。その結果、疲れやすい、頭が痛いなど、さまざまな症状があらわれる。 5

C　そうなると、さらに悪いことが起きる。どこへ行っても冷房があるために、どんどん具合が悪くなったり、夏が終わるまで治らないということもあるのだ。それでは仕事や勉強どころか、遊びも楽しめないだろう。 1〔

D　このように、冷房は暑い夏を快適に過ごすための優れた技術ではあるが、思わぬ体調不良の原因にもなりうる。冷房の技術はありがたいものだが、大事なことは、その技術を上手に使うということだろう。

問い　この文章で一番言いたいことは何か。

1　冷房は素晴らしい技術なのでどんどん使用するべきだ。

2　室外と室内の温度差が10℃以上あると、快適でほっとする。

3　冷房で体をこわしてしまうこともあるので、うまく使う必要がある。

4　冷房を使うと体温を調節することができなくなるので、使わないほうがいい。

（答え：B）

それぞれの段落には役割がある。

段落の役割を理解すると、段落同士の関係がわかり、その文章の構造が理解できる。それ
ぞれの段落で一番言いたいことを見つけ、段落の役割を考えよう。

Each paragraph has its own function. If you understand the function of the paragraph, you can understand the relationship among the
paragraphs, and the structure of the text. Find the most important thing that the writer is trying to say in each paragraph, and consider the
function of the paragraph.

每个段落都有作用。理解了段落所起的作用之后就会搞清楚段落之间的关系，理解文章的结构。找到各段最想表达的意思，来思
考段落的作用吧。

練習1　左の文章のＡ、Ｂ、Ｃ、Ｄの段落でそれぞれ一番言いたいことは何か、ａ、ｂから
選びなさい。

Ａ　（　　　　）
　ａ．冷房の技術はいいものだ。
　ｂ．冷房がないと勉強も仕事もできない。

Ｂ　（　　　　）
　ａ．冷房が原因のよくないことはほとんどない。
　ｂ．冷房が原因でよくないことが起きることもある。

Ｃ　（　　　　）
　ａ．冷房で体をこわすとさらにそれが深刻化して長引くこともある。
　ｂ．冷房で体調を悪くしないように気をつけなければならない。

Ｄ　（　　　　）
　ａ．冷房は体をこわす原因にもなる技術なので使わないほうがいい。
　ｂ．冷房で体をこわしたりしないように、うまく使うことが大切だ。

練習2　この文章の段落Ａ、Ｂ、Ｃ、Ｄの役割を考え、下のａ～ｄから選びなさい。

　　　　　Ａ　→　Ｂ　→　Ｃ　→　Ｄ

ａ．（話題の提出）→（Ａへの反対）→（Ｂの具体例）　　→（まとめ）
ｂ．（話題の提出）→（Ａへの反対）→（Ｂとは別の内容）→（まとめ）
ｃ．（話題の提出）→（Ａへの賛成）→（Ｂへの追加情報）→（まとめ）
ｄ．（話題の提出）→（Ａへの反対）→（Ｂへの追加情報）→（まとめ）

話題の提出：Topic proposal　提出话题　　　　　具体例：Specific example　具体例子

追加情報：Additional information　补充信息　　まとめ：Summary　总结

筆者がいいパーティーだったと思っているのはどちらですか。

A　そのパーティーはにぎやかだった。　　B　そのパーティーはうるさかった。

（答えはこのページの下にあります。）

☆ 問題13　つぎの文章を読んで、質問に答えなさい。答えは、1・2・3・4から最もよいものを一つえらびなさい。

　うちのそばに小さいレストランができたので、さっそく行ってみた。外には小さく店の名前が書いてあるだけ。派手なかざりは一つもなく、落ち着いた雰囲気だ。入ってみると3つほどテーブルがあり、汚れ一つない真っ白なテーブルクロスがかけられていた。私は窓のそばの席に座り、メニューを開いた。どれもとてもおいしそうで、期待がふくらんだ。

　その時、10人ほどの集団が入ってきて、レストランは満員になった。彼らはこの店によく来るらしく、メニューも見ないでどんどん注文をし始めた。私は自分の注文が後になってしまうと少し心配になりながら、一番人気があるというAセットを注文した。

　私の方が先に店に入ったのに、やはり私の料理は彼らの料理の後に運ばれてきた。彼らに先に注文されたからだ。その上、料理を待っている間ずっと、彼らがおいしそうに料理を食べながら、大声で話をするのを聞かされた。料理が来たときにはもう疲れてしまい、味はどうでもよくなってしまった。

問い　この文章を書いた人の気持ちを説明しているのはどれか。

1　レストランはきれいだし、料理がおいしかったので満足している。

2　集団のせいでなかなか料理を食べられなかったので、楽しめなかった。

3　レストランはかざりがなくてよくなかったが、集団の話は楽しめた。

4　集団と話をしながら料理を食べたので、料理の味はどうでもよかった。

（答え：A）

筆者の気持ちが表れる言葉に注意しよう。
Pay attention to the words used by the writer to indicate his or her mood.
留意表达作者心情的词语。

筆者のよい評価（＋）や悪い評価（−）を表す言葉や表現を覚えよう。
Remember the words and expressions that the writer uses to make positive (+) and negative (−) judgments.
记住表达作者正面评价（＋）和负面评价（−）的词语及表达方式。

● よい評価（＋）の言葉や表現　Words and expressions used for positive (+) judgments　表达正面评价（＋）的词语及表达方式

　・落ち着いている

　・よく食べる

　・Aさんが来てくれた。　　・（私は）Aさんに来てもらった。

　・Aさんが歌を聞かせてくれた。　　・（私は）Aさんの歌を聞かせてもらった。

● 悪い評価（−）の言葉や表現　Words and expressions used for negative (−) judgments　表达负面评价（−）的词语及表达方式

　・落ち着かない

　・食べすぎる

　・Aさんに来られた。

　・Aさんに歌を聞かせられた／　聞かされた。

練習　　　　　　の部分を筆者はよいことだと思っている（＋）か、悪いことだと思っている（−）か。○をつけなさい。

例：そのレストランはにぎやかだった。　（　（＋）　・　−　）

　　そのレストランはうるさかった。　（　＋　・（−）　）

1．落ち着いた雰囲気　（　＋　・　−　）

2．汚れ一つない真っ白なテーブルクロス　（　＋　・　−　）

3．彼らに先に注文された　（　＋　・　−　）

4．大声で話をするのを聞かされた。　（　＋　・　−　）

5．あの人はさっぱりした性格だ。（　＋　・　−　）

6．あの人はしつこい性格だ。（　＋　・　−　）

7．携帯電話を学校へ持ってきてしまった。　（　＋　・　−　）

8．自然に恵まれた環境　（　＋　・　−　）

実力養成編

じつりょくようせいへん

第2部　いろいろな文章を読もう

だい　ぶ　　　　　　　　　　　ぶんしょう　　よ

第2部　学習の前に

第2部では、日本語能力試験でよく取り上げられる、さまざまなタイプの文章を読みます。

1）メール（プライベート）

2）手紙

3）メモ

4）指示文

5）意見文

6）説明文

7）エッセイ

これらの文章の特徴やよく使われる文型などの紹介があります。どんなところに注意したほうがよいか、確認しましょう。

それぞれの練習は以下のような順番になっています。

読む前に：文章についての簡単な質問。答えは各ページの下にあります。

問題：短文から長文まであります。問いは一つ～三つです。

　　　（実際の試験問題より問いの数が少ないものもあります。）

語句・表現：本文にある言葉で、よく使われるもの。できるだけ覚えましょう。

解説：それぞれの文章の形式についての簡単な説明

試験問題では次のように考えよう：それぞれの形式の文章を読むときの注意点。

本文ではどう考えればよいかの具体的な説明。

In Part 2, you encounter various types of text which occur frequently in the JLPT.

1) E-mail (private)
2) Letters
3) Memos
4) Instruction texts
5) Expressions of opinion
6) Explanatory texts
7) Essays

This section includes the characteristics of these types of text and frequently used sentence patterns. Be sure to check which points you need to take note of.

The sequence of the exercises follows below.

Preparation before reading: Simple questions about the text. The answers are at the bottom of each page.

Questions: These comprise short, mid-length and long sentences. There are between one and three questions.
    (This is sometimes fewer than the number of questions that occur in the actual examination.)

Phrases and expressions: These are terms that occur in the main text and are frequently used. Do your best to memorize as many as possible.

Commentary: Simple explanations of each type of text.

Approach the examination questions in the following way: Points to bear in mind when reading texts in each of the different formats. Detailed explanations of the optimal approach to the main texts.

在第2部分，阅读日语能力考试中经常出现的各种类型文章。

1）邮件（私人）
2）书信
3）提示便条
4）操作说明
5）观点阐释文
6）解释说明文
7）散文随笔

介绍这些文章的特点以及经常使用的句型。核查一下应该留意哪些地方吧。

各个练习项目设置顺序如下：

阅读前：关于文章的简单提问。答案在各页下方。

试题：从短篇文章到长篇文章，包含各种类型文章。提问有1－3个。

　　　（有的题比实际考试中的设问数量少。）

词汇表：收录正文中出现的词汇，都是常用词。尽量记住吧。

解说：关于各种文章格式的简单解释说明。

应试提示：介绍阅读各种类型文章时要注意的地方。

　　　　　具体解释说明在本题中应该如何思考。

仲がいい友達にどんなメールを送りますか。

◇◇◇

☆　問題14　つぎの文章を読んで、質問に答えなさい。答えは、1・2・3・4から最もよいもの
を一つえらびなさい。

これは、学生時代の友達の佐藤さんからリンさんに届いたメールである。

あ て 先	：	1234abc@groups.ne.jp
件　名	：	こんにちは！
送信日時	：	20XX年7月16日　13:16

リンさん、久しぶり！ ^o^/

元気ですか〜？　仕事はどう？

こちらは何とか元気にやってます。

先週まで仕事がとても忙しかったのだけど、今週は少し時間が取れるようになりました。

それで、リンさんに会いたいな、と思ってメールしてます。^^　　　　　　　　　　　　5

久しぶりに食事でもしませんか？

この前すごくおいしいお店を見つけたので、リンさんと一緒に行きたいと思って…。

よかったら都合のいい日、教えてください♪♪

時間もリンさんに合わせられます。

お返事待ってますね！ ^o^/　　　　　　　　　　　　　　　　　　　　　　　　　10

佐藤

問い　このメールで一番伝えたいことは何か。

1　自分は何とか元気にやっているが、リンさんはどうか教えてほしい。

2　最近忙しかったが、久しぶりに少し暇になったことを伝えたい。

③　一緒に食事がしたいから、都合のいい日時を連絡してほしい。

4　久しぶりだから、リンさんからメールがほしい。

^o^/：笑って手を振っている様子　Waving and smiling　笑着挥手的样子

やってます＝やっています

^^：笑っている様子　Smiling　笑着的样子

♪♪：嬉しい、楽しい気持ち　Happy, having fun　喜悦、快乐的心情

解説　◆メール

本文はフォーマルでない、親しい友達へのメールである。フォーマルでない
メールでは、あいさつや近況報告などは省略されたり、ごく簡単にすること
もある。文体の混用、縮約形などが見られ、書き言葉というより話し言葉に
近い。顔文字や絵文字、「？」「！」などの記号もよく使われる。

The main text is not formal, but is an e-mail sent to a close friend. In informal e-mails, the tendency is to
simplification, sometimes with the omission of greetings, personal updates and other polite everyday phrases. The
simplification can be extreme. Use of mixed writing styles and abbreviated forms is seen in the main text, and the
choice of words is close to spoken Japanese. Emoticons, pictographs and symbols (?, !) are often used.
正文不是正式的文章，而是给好朋友的邮件。在非正式的邮件中，问候语以及自己的近况汇报等说得极其简单，
或者经常被省略。还会出现文体的混用和缩略等，不是文章体，而是更接近于口语体。还会经常使用表情符
号和图画，以及“？”、“！”等。

あて先
件名
送信日時

相手の名前

| あいさつ |
| 近況報告 |

| 要件 |

| あいさつ |

自分の名前

フォーマルなメールでは、以下の表現などがよく使用される。
In formal e-mail, the following expressions are often used.　在正式邮件中，经常使用下列表达方式。

・お世話になっております。　　　　・よろしくお願いいたします。

・～の件ですが、　　　　　　　　　・お返事お待ちしています。

●試験問題では、次のように考えよう。In answering examination questions, ask yourself the following:
考试时分析步骤如下。

①どのような状況か。（だれからだれへ？　どんな状況？）

What kind of situation is it? (From whom to whom? What is the state of something?)　什么样的状况（由谁向谁？什么状况？）

②何を伝えたいか。　　　What is the writer trying to say?　想传达什么。

この文章では、以下のようになる。　This is illustrated as follows.　本文分析如下。

①佐藤さんからリンさんへ　From Sato-san to Lisa　由佐藤向阿林

しばらく会っていない。　It has been a while since we last met.　好久没见。

②久しぶりに食事をしたい。都合のいい日を教えてください。

It's been a long time since we last met. Would you like to have a meal together? When it's convenient for you, please teach me some day.
久别重逢想一起吃饭，请告知哪天方便。

読む前に　だれかから日本語の手紙をもらったことがありますか。

⋄⋄⋄

☆ 問題15　つぎの文章を読んで、質問に答えなさい。答えは、1・2・3・4から最もよいものを一つえらびなさい。

あいさつ

拝啓　紅葉（注1）がきれいな季節になってきました。皆さ
ま、お元気でお過ごしのことと思います。

先日は久しぶりにチャンさんにお会いすること
ができて、とてもうれしかったです。仕事も順調
に進んでいるとうかがい、安心しました。また、
ソナちゃんがかわいい小学生になっていてびっく
りしました。

さて、その時にお話しした本を別便（注2）でお送り
しました。これは、私にはもう必要ないので、さ
しあげます。どうぞ受け取ってください。チャン
さんのお仕事の役に立てばうれしいです。

これから寒くなってきますが、どうぞお体にお
気をつけてお過ごしください。

敬具

二〇一四年十月二十五日

高木まなみ

チャン・ジュン様

（注1）紅葉：秋になって木の葉が赤くなること
（注2）別便：別に送ったもの

問い　この手紙の内容について、正しいのはどれか。

1　高木さんはチャンさんに、自分の本をあげると言っている。

2　高木さんはチャンさんに、自分の本を貸してあげると言っている。

3　高木さんはチャンさんの子どもに、本を受け取ってほしいと言っている。

4　高木さんはチャンさんに、本を受け取りに来てほしいと言っている。

語句・表現

（お元気で）お過ごしのことと思います　I hope things are going well for you　您身体还好吧　順調に　Smoothly　顺利

さて　Well ...　那么　（お体にお気をつけて）お過ごしください　Take care, look after yourself　请您多保重

解説　◆手紙

敬語を多く使い、です・ます体で書くことが多い。親しい関係でも、少していねいな表現になることが多い。　Honorifics are often used, and -です, -ます forms likewise. Even in dealing with intimates, you often use slightly polite expressions.　多使用敬语，多使用「です・ます」体书写。即使关系亲密，用词也要稍微礼貌一些。

プライベートの手紙の文は次のような構成になっている。　Private letters are structured as follows.　私人信件包含以下内容。

①「拝啓」・「前略（→②③は省略する）」……はじめの言葉

「拝啓」・「前略 (→ (2) (3) indicates formalities have been omitted)」……Introductory expressions

「拝啓」・「前略（→②③省略。）」……信件开头问候语

②季節のあいさつ……天候（暖かくなった、寒さがきびしいなど）や自然（桜が咲いたなど）の四季の変化について書く←この部分はわからなくてもいい

Seasonal greetings……Seasonal changes such as the weather: 暖かくなった , 寒さがきびしい (it has warmed up, it is really cold, etc) and natural changes; 桜が咲いた (the cherry trees are blossoming) are described ← You do not need to understand these exactly.

季节问候……写天气（「暖かくなった、寒さがきびしい等」天气转暖、严寒等）以及大自然（「桜が咲いた等」櫻花盛开了）的四季变化等←这部分读不懂也没关系

③相手（と家族）の健康などについて聞く　Inquiring about the health of your partner (and family)　询问对方（和家人）的健康情况

④本題（この手紙の用事）←ここが重要！　The main topic (the point of the letter) ← This is important.　正文（写信要说的事）←这部分重要！

⑤終わりに書くお礼・おわびなど　Closing phrases, apologies, etc　篇尾的致谢、道歉等

⑥相手（と家族）の健康を祈る　Praying for the health of the partner, or other person, and his or her family　祝福对方（和家人）健康

⑦「敬具」・「草々」……終わりの言葉　Closing phrases: 敬具, 草々　「敬具」・「草々」等结束语

⑧手紙を出した日　Date of dispatch of the letter　写信日期　　⑨手紙を出した人の名前　Name of the person sending the letter　写信人名字

⑩手紙の相手の名前　Name of the recipient of the letter　收信人名字

⑪追伸……手紙の最後に、追加のこと、または目立たせたいことを書く←あれば、ここも重要

Postscript……Additional material at the end of the letter, or something added to emphasize a point ← If present, this is also important.

补充……信的最后追加的事，或者特别提醒的事←有的话这里也很重要

●試験問題では、次のように考えよう。　In answering examination questions, ask yourself the following:　考试时分析步骤如下。

①どのような状況か。（だれからだれへ？　どんな状況？）

What kind of situation is it? (From whom to who? What kind of situation?)　什么样的状况（由谁向谁？什么状况？）

②何を伝えたいか。　What is being said?　想传达什么。

この文章では、以下のようになる。　This is illustrated as follows.　本文分析如下。

①高木まなみさんからチャン・ジュンさんへ　From Takagi-san to Chang Jiyun　由高木真奈美向张志胤

この前、久しぶりに会った。　We recently met for the first time in a long while.　前段时间，久别重逢。

②高木さんがチャンさんに本を送る。あげるので、返さなくていい。

Takagi-san gives Chang-san a book. She does not need to return it, as it is a gift.　高木把书送给小张。因为是他的所以不用还。

2）手紙 —— 41

コピー機が故障していたら、どうしますか。

◇◇◇

☆ **問題16**　つぎの文章を読んで、質問に答えなさい。答えは、1・2・3・4から最もよいもの を一つえらびなさい。

職場でコピーを取ろうとしたら、コピー機に以下のようなメモが貼ってあった。

このコピー機は故障中です。

修理の人が11時ごろ来ます。

修理が問題なく終われば、午後から使えるようになります。

お急ぎの方は、5階の第一事務室か、5階の第二事務室か、

4階の資料準備室のものをお使いください。　　　　　　　　　　　　　　5

ただし、5階の第一事務室は、混んでいるので、20枚以上のコピーは ご遠慮ください。

第二事務室のコピー機はA3サイズが取れません。

また、4階の資料準備室はカギがかかっていますので、

となりの資料管理室でカギを借りてください。　　　　　　　　　　　　10

問い　今、9時45分で、10時の会議のためにA3サイズのコピーを40枚取りたい。間に合うよう にコピーを取るには、どうすれば一番よいか。

1　5階の第一事務室に行き、コピーを取る。

2　5階の第二事務室に行き、コピーを取る。

3　4階の資料管理室でカギを借り、資料準備室でコピーを取る。

4　修理の後、このコピー機を使う。

語句・表現

ご遠慮ください　Please do not　请不要

解説　◆メモ

メモには、以下のようなものがある。　In a memo, you find the following.　便条包括以下几种

A：だれか一人のためのもの(不在時の連絡など。目上の人には丁寧体を使う。)

　　Something for just one person (contacts during absence, etc. The polite style is used in addressing a social superior.)
　　写给某一个人的（用于对方不在时的联系等。对于上司要用礼貌体用语。）

B：多くの人のためのメモ(注意書きなど)　Memo for a large number of people (notice etc)　写给多数人的便条（提示等）

箇条書き(1、2…のような形)がよく使われる。　経常分条写（1，2…的格式）。

Bulleted paragraphs are often used (similar to the numbering used in lists)　经常分条写（1，2…的格式）。

●試験問題では、次のように考えよう。　In answering examination questions, ask yourself the following:
　　考试时分析步骤如下。

①上のAかBのどちらなのか気をつける。　Check carefully whether it is (1) or (2) above.　要注意是上文的①还是②

②メモの内容だけでなく、本文の前後や問いの内容から、メモを読んだ人の状況も読み取る。

You can get an idea of the state of the person who read the memo, not only from the content of the memo, but from the context and the nature of the questions.
不只是便条的内容，从正文的前后文以及提问也可以读取阅读便条人的状况。

この文章では、以下のようになる。　This is illustrated as follows.　本文分析如下。

①多くの人のためのメモ　This is a memo for many people.　写给多数人的便条。

②メモを読んだ人の状況：　State of the people who read the memo　阅读便条人的状况

職場でコピーを取ろうとしたら、コピー機に故障中のメモが貼ってあった。

今、9時45分で、10時の会議のためにA3サイズのコピーを40枚取りたい。間に合うようにコピーを取るには、どうすれば一番よいか。

For those wishing to make copies at work, a note was posted on a photocopier saying that it had broken down. Somebody wishes to make 40 A3 size copies at 9.45, for a meeting at 10.00. What would be the best thing to do to ensure that copies are made in time?
在上班处想要复印，但复印机上贴着"不能使用"的便条。现在是 9 点 45，需要为 10 点的会议准备 A3 大小的复印文件 40 页。为了赶上会议的使用应该怎么办。

読む前に　日本料理を作ったことがありますか。どんなものを作りましたか。

◇◇◇

☆ 問題17　つぎの文章を読んで、下の質問に答えなさい。答えは、1・2・3・4から最もよいものを一つえらびなさい。

親子丼の作り方

材料（2人分）

ごはん・・・どんぶり2杯分

とり肉・・・1枚（約150g）

たまご・・・4コ

たまねぎ・・・1/4コ

だし汁・・・カップ1杯（200cc）

調味料

みりん・・・大さじ2

酒・・・大さじ1

しょうゆ・・・大さじ2

さとう・・・大さじ1

作り方

1．まず、とり肉を一口大(注1)に切り、たまねぎをうす切りにします。
　ボールにたまごを割って混ぜておきます。

2．なべにだし汁(注2)、みりん、酒、しょうゆ、
　さとうを入れて火にかけます。

3．沸騰したら、たまねぎ、とり肉を入れて、
　中火〜弱火で煮ます。

4．とり肉が煮えたら、たまごを回し入れます(注3)。
　固まり始めたら、火をとめます。

5．ごはんの上にのせて、出来あがり！

ここに注意！

最後にたまごを入れたら、あまり混ぜないこと。そして長く煮ないこと。

（注1）　一口大：口に入るくらいの大きさ

（注2）　だし汁：こんぶやかつおぶしで作ったスープ

（注3）　回し入れる：まるをかくようにして入れる

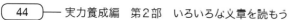

[問い] 親子丼の作り方の順番で、正しいものはどれか。

1　なべにだし汁、とり肉、たまねぎ、たまごを入れてから火にかける。

2　なべにだし汁、調味料、とり肉を入れ、沸騰したら、たまねぎとたまごを入れる。

3　なべにだし汁、調味料を入れ、沸騰したら、はじめにたまごを入れる。

4　なべにだし汁、調味料を入れ、沸騰したら、とり肉とたまねぎを入れる。

[語句・表現]

材料　Ingredients　原材料	調味料　Seasoning　调味料
大さじ、小さじ　Tablespoon, teaspoon　大勺、小勺	切る　To cut　切
混ぜる　To mix　搅拌	火にかける　To cook on a stove　开火加热
強火、中火、弱火　High heat, medium heat, low heat　大火、中火、小火	煮る／煮える　Boil/be boiled　煮／炖

解説　◆指示文

何かのやり方を指示する文章で、どのような順番で何をするかが書かれている。以下のような表現が多い。The text gives instructions on how to do something, and describes what actions are to be taken, in what sequence. The following expressions are common.　讲解某种做法的文章，一般会写到以什么样的顺序做什么。多用下列词语。

＜手順＞　Procedure　操作步骤

　・1．～、2．～、3．～。

　・まず～、つぎに、そして、最後に～

　・～たら～。　～てから～。など

＜注意点＞　Points to note　注意事项

　～する（こと）。～しない（こと）。　～なければならない。など

●試験問題では、次のように考えよう。　In answering examination questions, ask yourself the following:　考试时分析步骤如下。

①何のやり方を説明しているか。　What method does the explanation relate to?　在说明什么东西的做法。

②必要な情報はどこにあるか。　Where is the necessary information?　所要找的信息在哪里。

　この文章では以下のようになる。　This is illustrated as follows.　本文分析如下。

①親子丼の作り方　How to make *oyakodon* (bowl of rice topped with chicken and eggs)　鸡蛋鸡肉盖饭的做法

②材料、作り方、注意することが別々に書かれている。　作り方　のところを見る。

The ingredients, method of preparation and points to bear in mind are discussed separately. Please see 作り方 (method of preparation).
分别写明了原材料、做法和注意事项。阅读做法处。

読む前に　電車の中で化粧をする人についてどう思いますか。

◇◇

★ 問題18　つぎの文章を読んで、質問に答えなさい。答えは、1・2・3・4から最もよいものを一つえらびなさい。

　電車に乗ると、化粧をしている女性をときどき見かける。彼女たちは、「時間がないんだし、他人に迷惑をかけているわけじゃないんだから、別にいいでしょ」と思っているらしい。確かに忙しい毎日の中、少しでも時間を節約したい気持ちもわかるが、私はそれを見ると、不快な気持ちになる。化粧は人に会うための準備なので、家でするものであり、電車ですべきではない。

　電車で化粧をする人たちに、これから会う人の前でもそうやって化粧をするのかと聞くと、しないと言う。一方、自分とは全然関係ない周りの乗客には、化粧する姿を見られても別に構わないと言う。

　これは、彼女たちが周りの人たちを風景の一部、壁や座席などと同じだと考えているように私には感じられる。これは大変失礼ではないだろうか。電車で化粧をするということは、そういう印象を周りの人に与えていることに気づいてほしい。

問い　この文章を書いた人は電車の中で化粧をすべきではないと言っているが、その理由は何か。

1　周りの人が人として見られていないように感じるから。
2　化粧をするのは周りの人に迷惑をかける行動だから。
3　これから会う人に対して大変失礼なことだから。
4　化粧する時間を節約するのは女性としてはずかしいことだから。

語句・表現

迷惑をかける	To cause inconvenience	添麻烦

不快な　　Unpleasant　　不高兴

す（る）べきではない　　Should not do　　不应该做

印象を与える　　To create an impression　　留下印象

解説　◆意見文

意見を言っている文は、以下のような文末の文が多い。

In sentences expressing an opinion, the following kind of sentence ending is common.　　阐述观点的句子常见句尾如下。

・〜べきである／〜べきではない

・〜（する）必要がある

・〜なければならない　　　など

●試験問題では、次のように考えよう。　　In answering examination questions, ask yourself the following:
考试时分析步骤如下。

①何について書かれたものか。　　What is the text about?　　文章论述的问题是什么。

②筆者の主張は何か。　　What claim is the writer making?　　作者的观点是什么。

③主張の理由は何か。　　What is the reason for the claim?　　观点的依据是什么。

この文章では、以下のようになる。　　This is illustrated as follows.　　本文分析如下。

①電車での女性の化粧について　　About women applying makeup in the train　　关于电车中女性的化妆

②化粧は電車でするべきではない。　　You should not apply makeup in the train.　　不应该在电车中化妆。

③化粧する人は「自分と関係ない他人に見られてもかまわない」と言う。

People who apply makeup in this way say that they do not mind if they are watched by other people they have no connection with.
化妆的人说"即使被与自己无关的其他人看到也不在乎"。

↓

周りの人を無視し、人として考えていない。

Ignoring people around them, considering them uncivilized.
无视周围人的存在，不把别人当人看待。

↓

失礼だ。このような印象を周りに与えていることに気づいてほしい。

It's rude. I hope she will be aware of what kind of impression she is making on the people around her.
没有礼貌。希望他们意识到会给别人留下这种印象。

あなたの国では避難訓練(注)をしますか。どんなことをしますか。

(注)避難訓練：安全な所へ逃げる練習

☆　**問題19**　つぎの文章を読んで、質問に答えなさい。答えは、１・２・３・４から最もよいものを一つえらびなさい。

　日本では幼稚園や小学校で「おかしも」という言葉を習います。「おかしも」とはどのような意味でしょう。「お菓子も」と書いて「肉や野菜だけでなく『お菓子も』食べましょう。」という意味でしょうか。実は、これは災害(注1)や事故などが起きたときに、安全に避難するための注意を一つにした言葉です。「押さない、駆けない(注2)、しゃべらない(注3)、戻らない」という四つの言葉の初めのひらがなを並べたものです。

　小学校で一年に何度も行われる避難訓練では、教室を出て校庭に逃げる練習をするのですが、そのとき子どもたちが素早く避難できるように、先生は「『おかしも』ですよ。」と何度も声をかけます。一年に何度も、避難訓練のたびにこの言葉を耳にするので、<u>日本の子どもたちで「おかしも」の意味を知らない子どもはいないほどです。</u>

　本当に何かがあったときには、この訓練で「おかしも」を身につけたおかげで子どもたちはこわがったりあわてたりせずに冷静に避難できるというわけです。「おかしも」は子どもたちを安全に避難させるために考えられた工夫なのです。

(注1)災害：地震・台風などの大きな被害が出る出来事

(注2)駆ける：走る

(注3)しゃべる：話す

問1　「おかしも」とは何か。
１　肉や野菜だけでなくお菓子も食べようと勧める言葉
２　避難するときの注意を短くした言葉
３　避難訓練のとき、教室を出て校庭に素早く避難すること
４　避難訓練のとき、子どもたちが冷静に行動すること

問2 「日本の子どもたちで「おかしも」の意味を知らない子どもはいないほどです。」とあるが、それはなぜか。

1　毎日学校で先生から説明してもらうから。

2　避難訓練をするときにはいつもその言葉を聞くから。

3　大人たちが工夫して考えた言葉だから。

4　お菓子に似ている言葉だから。

語句・表現

幼稚園	Kindergarten　幼儿园		校庭	School playground　操场
素早く	Quickly　迅速		〜のたびに	On the occasion of 〜　每次
耳にする	To hear of, get wind of　听到		〜ない (人) はいない	There is nobody here who does not 〜 没有 (人) 不〜
〜ほど〜	About, around 〜　到了〜程度		身につける	To learn thoroughly　掌握

解説　◆説明文

説明をする文章では以下のような表現がよく使われる。　In explanatory texts, the following expressions are often used.
説明文中经常使用下列词语。

　・〜は〜という (意味／こと) です。

　・〜というのは〜のことです。

　・〜 (もの／の) です。　など

●試験問題では、次のように考えよう。　In answering examination questions, ask yourself the following:
考试时分析步骤如下。

①何について書かれているか。　What is being written about?　说明的对象是什么。

②どのように説明しているか。　How is the explanation being made?　是如何说明的。

この文章では以下のようになる。　This is illustrated as follows.　本文分析如下。

①「おかしも」という言葉について　About the word　关于「おかしも」这个词

②「おかしも」は安全に避難するための注意の、初めの文字を並べた言葉である。
おかしも is a made-up term using the first elements of words that mean "Don't push, don't rush, don't talk, and don't go back"
「おかしも」是指为了安全避险的注意事项的首字组合。

読む前に　和菓子を食べたことがありますか。どの季節にどんな和菓子を食べましたか。

⬥⬥

★　問題20　つぎの文章を読んで、質問に答えなさい。答えは、1・2・3・4から最もよいものを一つえらびなさい。

　日本では季節が生活のいろいろな面に影響している。外国から来た自分にとってそれはとても①おもしろい。

　いつも使う駅のそばに、有名な和菓子のお店がある。2月のある寒い日、ちょっと入ってみると、いろいろな形や色をした美しい生菓子(注1)が並んでいた。値段は高かったが、アルバイト代が入ったばかりだったので、一番かわいいのを一つ買って帰ることにした。私は「寒椿」というお菓子を選んだ。いつも公園で見る赤い椿の花を表現したお菓子だ。そのままテーブルにかざっておきたいぐらい美しい上に、食べると味も素晴らしく、感激した。それ以来、「寒椿」のことが忘れられなくなった。でも、次にアルバイト代が入るまでがまんすることにした。月に一度あのかわいい姿と味が楽しめれば幸せだ。

　さて3月のアルバイト代が入り、私はわくわくしながらその和菓子屋に入っていった。しかし、②あの赤い花はどこにもなかった。お店の人にたずねておどろいた。「寒椿」は冬のお菓子なので、春には売らないのだそうだ。今度あの「寒椿」を楽しむには一年待たなければならない。

　本当にがっかりしたが、そこにピンク色の「桜」というお菓子があることに気づいた。私はこの「桜」を買って帰った。これもまたとても美しく、おいしかった。そうか、もう春なのだ。そういえば公園の桜がもうすぐ咲きそうだ。この時、③日本人の季節の楽しみ方が少しわかった気がした。

(注1)生菓子：水分を多く含んだお菓子

問1　①おもしろいとあるが、何がおもしろいのか。
1　日本の季節は春、夏、秋、冬の四つであること
2　駅のそばに有名な和菓子のお店があること
3　日本の生活には季節が表されたものがたくさんあること
4　日本には美しい形をしたお菓子がいろいろあること

問2 ②あの赤い花とは、何を指しているか。

1　公園に咲いている椿の花

2　寒椿という和菓子

3　公園でもうすぐ咲きそうな桜

4　桜という和菓子

問3 ③日本人の季節の楽しみ方とはどんなことか。

1　形や美しさを大切にして美しい食べ物を作る。

2　毎月一回和菓子を食べる。

3　前の季節のものをなつかしいと思う。

4　季節に合ったものを楽しむ。

語句・表現

感激する　To inspire　感动　　　　　　　　　　　姿　Shape　样子

がっかりする　To be disappointed　失望　　　　そういえば　Now I come to think about it　这样说来

解説　◆エッセイ

決まった形式などはなく、筆者が自分の経験や感想などを自由に書いた文章である。

This is a text which does not follow any particular set style, but freely reflects the experiences and impressions the writer.
此类文章没有固定的格式，作者随意叙写自己的经历和感想。

以下のような表現が多い。　　The following expressions occur frequently.　多用以下词语。

主観的な表現……外国から来た自分にとってそれはとてもおもしろい。
Subjective expression
表达主观感受的词语　　あのかわいい姿と味が楽しめれば幸せだ。

　　　　　　　　　　日本人の季節の楽しみ方が少しわかった気がした。

比喩表現　Figurative expression, allegory　比喩……あの赤い花はどこにもなかった。（赤い花＝「寒椿」という和菓子）

状況描写　Situational description　情景描写……そういえば公園の桜がもうすぐ咲きそうだ。

●試験問題では、次のように考えよう。　In answering examination questions, ask yourself the following:
考试时分析步骤如下。

①何について書かれたものか。　　What was being written about?　叙述主题是什么。

②筆者の立場や感情はどのようなものか。　What kind of thoughts and feelings does the author have?
作者的思想和感情是怎样的。

　　この文章では、以下のようになる。　　This is illustrated as follows.　本文分析如下。

①日本人の季節の楽しみ方　The Japanese way of enjoying the seasons　日本人享受季节的方式

②外国人の自分にとっては、季節に合ったものを楽しむ日本の生活はおもしろい。

As a foreigner, I am interested by the Japanese lifestyle that takes pleasure in things connected with seasonal change.
对于作为外国人的自己来说，这种享受与节令相符事物的日式生活方式非常有意思。

　第3部では、生活や仕事の中でよく見られる文章(広告・お知らせなど)を読みます。必要な情報を読み取る練習です。

　1)商品の広告

　2)募集広告

　3)パンフレット

　4)お知らせ①

　5)お知らせ②

　6)薬の飲み方

　7)グラフ

　8)メール(ビジネス)

　これらの文章は、第2部の文章のように最初から最後まで読む必要がないので、わからない言葉があっても飛ばして読んでください。それぞれの形式を覚えておくと、目的や一番伝えたいことがどこにあるか、すぐにわかるようになります。

　それぞれの練習は以下のとおりです。

読む前に：本文に関連した簡単な質問です。

問題：さまざまな形式の文章があります。問いは一つ〜二つです。

　　　　(実際の試験問題より問いの数が少ないものもあります。)

語句・表現：本文にある言葉で、よく使われるもの。できるだけ覚えましょう。

解説：それぞれの文章のどこにどんなことが書いてあるか、簡単な説明。

　第3部のような情報を探し出す問題では、次のように進めましょう。

　1)問題の文をよく読み、何の文章か理解します。

　　　例：「次の文章は、駅に貼ってある割引の案内である。…」(p.58)

　2)本文の文章をざっと読みます。ていねいに読む必要はありません。

　3)問いの文をよく読み、必要な情報は何かを理解します。

　　　例：「アンさんは○○市でバス1日乗車券を使って…」(p.59)

　4)本文の文章から必要な情報を見つけます。

　5)選択肢(問いのあとの1〜4の文)と比べ、正解を探します。

In Part 3, the reading materials cover texts frequently encountered in daily life and at the workplace (advertising, public notices and similar texts). You practice extracting the information you need.

1) Product advertising
2) Enrolment adverts
3) Pamphlets
4) Public notices (1)
5) Public notices (2)
6) Instructions for taking medicine
7) Graphic material
8) E-mail (business)

Because there is no need to read these texts from the beginning to end as you do with those in Part 2, you can skim-read them even if you do not understand some of the words. If you memorize the formats, you will be able to work out the purpose and main points of the texts, and understand them immediately.

The individual exercises are in the following order.
Preparation before reading: Simple questions connected with the text
Questions: Texts of various formats. There are one or two questions.
            (This is sometimes fewer than the number of questions that occur in the actual examination.)
Phrases and expressions: These are frequently found terms in the text. Do your best to memorize them.
Commentary: Simple explanation of what is written where, in each text.

In questions about finding out needed information, as in Part 3, proceed as follows.
1) Read the question well and understand what kind of text it is.
   Example: "The next piece of text is information posted at a station on discounts." (Page 58)
2) Read the main text. You do not need to read closely.
3) Read the question text well, and grasp the information you need to know.
   Example: "Ann, use a one-day pass on the city buses" (Page 59).
4) Find the necessary information in the main text.
5) Compare the options (sentences 1-4 after the questions) and seek out the correct answer.

在第3部分阅读生活、工作中常见的文章（广告、通知等）。练习读取所需要的信息。

1）商品广告
2）招生广告
3）传单
4）通知①
5）通知②
6）药品使用说明书
7）图表
8）邮件（商务）

　　这些文章没有必要像第2部分中的文章那样从头到尾阅读，遇到不认识的单词时也要跳跃过去。记住各种文章的格式之后，就可以马上找到文章的写作目的以及最想传达的意思存在于何处。

各项练习项目设置如下：
阅读前：与正文相关的简单提问。
试题：有各种格式的文章。问题为1−2个。（有的会比实际考试设问数量少。）
词汇表：收录正文中出现的词汇，都是常用词。尽量记住吧。
解说：简单地解释说明，各种文章在哪个地方会写到那些事情。

在做第3部分的信息检索题时，请按照如下步骤解题：
1）认真阅读试题说明文字，理解文章类型。
　　例："下文是张贴在车站的商品打折信息。"（p.58）
2）粗略浏览正文文章。没有必要认真阅读。
3）认真阅读提问句，理解所需要寻找的信息是什么。
　　例："小安在○○市，使用公交一日乘车券。"（p.59）
4）从正文中找到所需信息。
5）与选项作对比（提问之后的1−4个句子），找出正确答案。

読む前に　割引の広告を見て、何かを買ったことがありますか。それはどんなものですか。

⬥⬥⬥

☆　問題21　つぎの文章は、駅に貼ってある割引の案内である。下の質問に答えなさい。答えは、
1・2・3・4から最もよいものを一つえらびなさい。

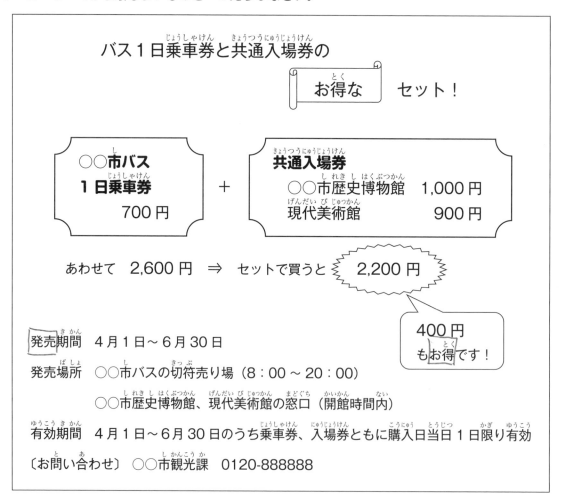

問い アンさんは○○市でバス1日乗車券を使って歴史博物館と現代美術館を見たい。

安く見るにはどこでいくらの券を買えばよいか。

1　バスの切符売り場　1,100円

2　○○市観光課　　　1,900円

3　バスの切符売り場　2,200円

4　○○市観光課　　　2,600円

語句・表現

乗車券　Travel (bus) ticket　乗车卡

お得な　Inexpensive, cheap　合算的

発売期間　Period of sale　发售时间

〜限り　Only, restricted to ~　仅限于〜

共通入場券　Multiple-use ticket　通票

セット　Set　套

有効期間　Period of validity　有效时间

解説　◆広告

上の方に大きな字で強調したいことが書かれていることが多い。

下のほうに細かい情報が書かれている。

The top line of the text is often written large for the purposes of emphasis.　文章上方多用大字写着想要强调的事情。
More detailed information is given below.　下方写着详细的信息。

発売期間：＊＊＊＊＊	← いつからいつまで売っているか	From when until when is it on sale? 从何时开始到何时为止发售
発売場所：＊＊＊＊＊	← どこで売っているか	Where is it sold? 在哪里发售
有効期間：＊＊＊＊＊	← いつからいつまで安くなるか	From when until when is it sold cheaply? 从何时开始到何时为止打折
問い合わせ：＊＊＊＊＊	← 何か聞きたいことがあるときに聞くところ	Ask when you want to know something 受理咨询的地方

今、習いたいことがありますか。それはどんなことですか。

⬦⬦⬦

☆ 問題22　つぎの文章は教室の募集広告である。右のページの質問に答えなさい。答えは、
１・２・３・４から最もよいものを一つえらびなさい。

テニス教室　生徒募集！
一緒にテニスをしませんか？

対象：20歳以上。Ａ市在住・在勤(注1)・在学(注2)

期間：４月〜７月(各コース全15回)

場所：さくらテニスコート

定員：各クラス14人まで(定員になったらしめきり)

費用：3,000円

申し込み方法：往復はがき(1人1枚)に希望するクラス名、曜日、時間、住所、名前、電話
番号を書いて、２月15日(水)までに下記までお送りください。結果は返信はがきで、３月中
旬頃までに発送します。

はがきの宛て先：〒101-2222　Ａ市山田町２−２−２　さくらテニスクラブ

問い合わせ先：☎　033-111-2222

	時間	月	火	水	木	金
1	9:00–10:20	初級　a	中上級		初級　e	初級　f
2	10:40–12:00		上級	初中級		上級
3	15:00–16:20	中上級			初中級	
4	17:00–18:20	中級　b	中級　c	初級　d	上級	中上級　g

(注1)在勤：そこで働いていること

(注2)在学：そこで学校に通っていること

問1　ローラさんはテニスをしたことがないが、テニスを習いたいと思っている。月・水・木は9：30から16：00まで語学学校で勉強している。学校からテニスクラブは歩いて5分である。ローラさんがとることができるクラスはどれか。

1　aとc　　　　2　aとd　　　　3　dとf　　　　4　cとg

問2　申し込みについて、正しいものはどれか。

1　A市に住んでいる人しか申し込めない。

2　2月15日までに往復はがきを送れば、必ず入会できる。

3　申し込み者が定員以上になった場合は、抽選で決められる。

4　兄弟で入りたい場合もそれぞれ往復はがきを送らなければならない。

[語句・表現]

対象　Applicable to, for　対象

在住　Resident　居住

期間　Period　授课时间

定員　Maximum number　限额人数

費用　Charge　学费

申し込み　Application　申请

往復はがき・返信はがき　Double postcard, reply-paid postcard　回信费用已支付的、用于回信的名信片

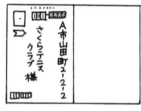

＜往信の宛て先＞

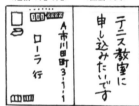

＜返信の宛て先＞　＜往信の文＞

発送する　To send　邮寄

宛て先　Addressee　邮寄地址

問い合わせ先　Person to whom an inquiry is addressed　咨询

解説　◆募集広告

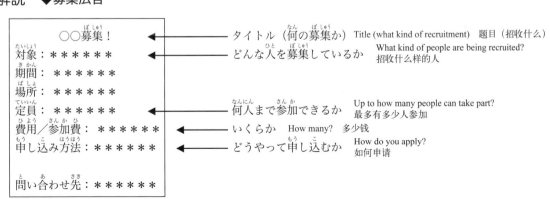

タイトル（何の募集か）Title (what kind of recruitment)　题目（招收什么）

どんな人を募集しているか　What kind of people are being recruited?　招收什么样的人

何人まで参加できるか　Up to how many people can take part?　最多有多少人参加

いくらか　How many?　多少钱

どうやって申し込むか　How do you apply?　如何申请

どんなところで映画を見ますか。

◇◇◇

☆ 問題23　右のページは、南みなと市の図書館で行われている無料の映画上映会の案内である。これを読んで下の質問に答えなさい。答えは、1・2・3・4から最もよいものを一つえらびなさい。

問い　エバさんは5歳の子どもといっしょに子ども向けのアニメを見たい。どれがよいか。

1　①「ラストダンスは君と」

2　②「ドキドキマシンをさがせ」

3　③「トモばあちゃんの涙」

4　④「ホヨヨンと楽しいおともだち」

解説　◆パンフレット

対象：どんな人（児童・保護者・一般）が見るとよいか。
What kind of people (child/guardian/general) are allowed to see [the film]?
适合观赏人群（儿童、未成年人的监护人、普通大众）

定員：何人まで見られるか。　What is the maximum number of people can go in?　限额人数

内容：どんな映画か。　What kind of film is it?　什么电影

名称	日時・場所	対象・定員 申込方法	内容

表の一番上を見て、問題に答えるのに必要なところだけ読む。
Looking at the uppermost part of the table, read only the parts necessary for answering the question.
看表格的最上方，只阅读回答问题所要看的部分。

南みなと図書館　映画上映会

南みなと図書館では、なつかしい映画や子どもを対象とした映画を無料で上映しています。ぜひみなさんでお越しください。

名称	日時・場所	対象・定員・申込方法	内容
①ラストダンスは君と	3月2日 午後2時〜 3階多目的ホール	一般50名（申込必要：ネットかはがきで。先着順）	大学生の康太は無理やりダンス部に入れられて、先輩と大会に出ることに。爆笑恋愛コメディ。 出演：大木健、中田真美
②ドキドキマシンをさがせ	3月9日 午後2時〜 2階集会室	児童、保護者 先着30名（申込不要）	人間の心がわかるという機械を発明した少年と悪の大王との戦い。 出演：小林ゆうき・森雪菜。
③トモばあちゃんの涙	3月16日 午後3時〜 3階多目的ホール	一般50名（申込必要：ネットかはがきで。先着順）	一人暮らしのトモばあちゃんの家の前に赤ちゃんが。家族とは何かを問う問題作。 出演：黒沢美香子、中村利男
④ホヨヨンと楽しいおともだち	3月23日 午後3時〜 2階集会室	児童、保護者 先着30名（申込不要）	世界的な人気者のクマ、ホヨヨンと元気な友だちのほのぼのアニメ。

語句・表現

上映（する）　To screen, show　上映

申込（申し込み）　Application　申请

必要⇔不要　Necessary ⇔ not necessary　需要⇔不需要

先着順　First come, first served　按报名先后顺序

出演　Starring:　主演

保護者　Guardian　未成年人的监护人

〜を対象とした　For, applicable to　对象人群

一般　General　普通大众

ネット（インターネット）　Net (Internet)　网上（互联网）

コメディ　Comedy　喜剧

児童　Child　儿童

アニメ　Animation　动画片

読む前に　コンサートなどに行くときにはどんなことに気をつけますか。

☆ 問題24　右のページの文章を読んで、質問に答えなさい。答えは、1・2・3・4から最もよいものを一つえらびなさい。

問い　このコンサートで、してはいけないことは何か。

1　ビデオを撮る。

2　写真を撮る。

3　子どもと一緒に行く。

4　携帯電話でメールをする。

解説　◆お知らせ①

行事などについて知らせる文章である。注意事項を理解する必要がある。条件を付けて許可や禁止（例：ご（お）～ください。お願いします）をする表現が多い。

This is a text giving information about some event, etc. You need to understand certain points. Many expressions are of conditional approval or prohibition (for example: ご（お）～ください。お願いします ~ please, I would be obliged if ...).

此类文章是活动等的通知。需要理解注意事项。多用附带条件的表示许可或者禁止（例如：「ご（お）～ください。お願いします」）的词语。

案内状の形式　Information formats　通知的格式

○○のご案内　←――　行事のタイトル　Title of the event　活动的题目

＊＊＊＊＊＊＊＊
＊＊＊＊＊＊＊＊　←――　あいさつや行事の内容　Introductory comments and details of events　问候语及活动内容

＊＊＊＊＊
＊＊＊＊＊　←――　日時・場所　Date, time and place　时间 场所

＊＊＊＊＊＊
＊＊＊＊＊＊　←――　参加するときの注意事項など　Things to bear in mind during participation　参加时的注意事项
＊＊＊＊＊＊　　　　そのほかの情報　Other information　其他信息

ミニ・コンサートのご案内

秋も日一日と深まり、紅葉も美しくなり始めました。

私たち「さくら合唱（注1）クラブ」は日本の歌を愛する社会人混声（注2）合唱のクラブです。このたび秋の歌を集めて、ミニ・コンサートを開催することになりました。

どうぞ日本の歌の美しさをお楽しみください。ご来場をお待ちしています。

平成XX年　10月25日

さくら合唱クラブ発表会実行委員

日時：　11月12日（土）

　　　　開場15:00　　　　開演15:30

場所：　〇〇市民ホール

入場料：　300円

☆お願い☆

- 自転車・車でのご来場はご遠慮ください。
- 上演中のフラッシュ撮影はご遠慮ください。
- ビデオ撮影はビデオ席でお願いします。
- 小さいお子様をお連れの方は、他のお客様のご迷惑にならないようにご注意ください。
- 携帯電話等の電源はお切りください。

☆メンバー募集☆　私たちと一緒に歌いませんか？

　　　参加ご希望の方は山田（tel:090-9387-〇〇〇〇）までご連絡ください。

（注1）合唱：大ぜいで歌うこと
（注2）混声：男性と女性の声の

語句・表現

紅葉　Autumn foliage, the fall　红叶	このたび　Now, this time　本次	開催する　To arrange, host, sponsor　举办
お（ご）〜ください　Please　请〜　ご来場　Arrival　光临		上演中　During the performance　表演过程中
フラッシュ撮影　Flash photography　开闪光灯拍照		電源　Power supply　电源

読む前に お知らせなどが貼られた掲示板を見ていますか。どんなお知らせがありますか。

◇◇

☆ **問題25** 右のページの文章はビルの掲示板に貼ってあったものである。下の質問に答えなさい。答えは、1・2・3・4から最もよいものを一つえらびなさい。

問い 文章の内容と合っているものはどれか。

1 8月1日〜3日まで東館では1日中エレベーターが使えない。

2 南館では今年はエレベーターの点検は行わない。

3 エレベーター点検中もエスカレーターは使える。

4 8月5日は西館と北館では一日中エレベーターが使えない。

解説 ◆お知らせ②

上の部分だけでなく、その下の「ご注意」などもよく読む。

Carefully read not only the upper part, but also the notes and other material below.

不仅要读上方的内容，下方的"注意事项"也要认真阅读。

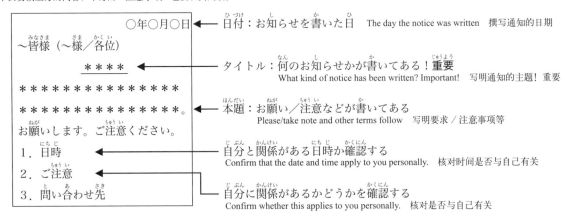

○年○月○日 ◄── 日付：お知らせを書いた日　The day the notice was written　撰写通知的日期

〜皆様（〜様／各位）

＊＊＊＊ ◄── タイトル：何のお知らせかが書いてある！重要
　　　　　　　　　What kind of notice has been written? Important!　写明通知的主题！重要

＊＊＊＊＊＊＊＊＊＊＊

＊＊＊＊＊＊＊＊＊＊＊。 ◄── 本題：お願い／注意などが書いてある
　　　　　　　　　Please/take note and other terms follow　写明要求／注意事项等

お願いします。ご注意ください。

1．日時 ◄─── 自分と関係がある日時か確認する
　　　　　　　Confirm that the date and time apply to you personally.　核对时间是否与自己有关

2．ご注意 ◄───

3．問い合わせ先 ─── 自分に関係があるかどうかを確認する
　　　　　　　Confirm whether this applies to you personally.　核对是否与自己有关

国際ビルご利用の皆様

エレベーター運転停止のお知らせ

　8月1日より8月7日までの下記の時間、国際ビルの北館、東館、西館では、エレベーターの点検を行います。点検中はエレベーターの利用ができませんので、ご注意ください。ご迷惑をおかけしますが、よろしくお願いいたします。

１．点検予定日時
- ・〇が点検予定日
- ・時間は、各館8:00～10:00、22:00～24:00
- ・△の日は講演会のため、8：00から10：00の点検は行いません。

	8／1	2	3	4	5	6	7
東館	〇	〇	〇				
西館			〇	〇	△		
北館					△	〇	〇

２．ご注意
- ・点検中はエスカレーターまたは階段をご利用ください。
- ・東館と西館の5階は連絡通路で移動することができます。
- ・南館については、9月に点検予定です。

３．問い合わせ先
　　国際ビル管理部　　　　　TEL：03-1111-2222

【 語句・表現 】

停止　stoppage　停止	～館　Block, wing　～馆
迷惑をかける　To cause inconvenience to　添麻烦	点検予定　Inspection schedule　计划检修
日時　Date and time　时间	問い合わせ先　Enquiries to:　问讯处

読む前に 「錠剤、こな薬、カプセル、塗り薬、はり薬」の違いがわかりますか。

◇◇

★ 問題26　下は薬の入った袋である。右のページの質問に答えなさい。答えは、１・２・３・４から最もよいものを一つえらびなさい。

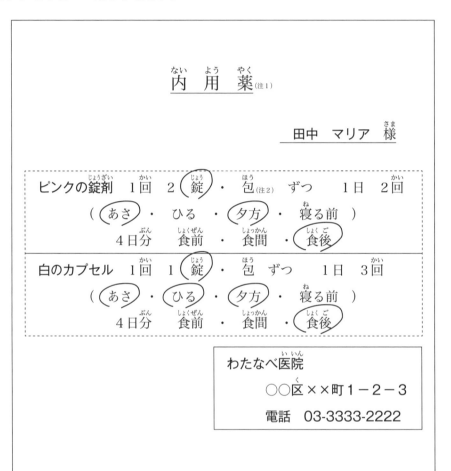

内　用　薬(注1)

田中　マリア　様

ピンクの錠剤　１回　２錠・包(注2)　ずつ　　１日　２回
（ あさ ・ ひる ・ 夕方 ・ 寝る前 ）
４日分　食前 ・ 食間 ・ 食後

白のカプセル　１回　１錠・包　ずつ　　１日　３回
（ あさ ・ ひる ・ 夕方 ・ 寝る前 ）
４日分　食前 ・ 食間 ・ 食後

わたなべ医院
○○区××町１－２－３
電話　03-3333-2222

(注1) 内用薬：飲む薬。　参考：外用薬(皮膚につける薬)、塗り薬
(注2) 包：こな薬の数え方

問1 ピンクの錠剤と白のカプセルの飲み方で正しいものはどれか。

1 朝食・昼食・夕食を食べた後、それぞれ１錠ずつ飲む。

2 朝食・昼食・夕食を食べた後、それぞれ２錠ずつ飲む。

3 ピンクの錠剤は朝食後・夕食後に２錠、白のカプセルは朝食後・昼食後・夕食後に３錠飲む。

4 ピンクの錠剤は朝食後・夕食後に２錠、白のカプセルは朝食後・昼食後・夕食後に１錠飲む。

問2 マリアさんは朝食後、薬を飲んだ。次にいつどんな薬を飲めばよいか。

1 錠剤とカプセルを昼食後に飲む。

2 錠剤を昼食後に飲む。

3 カプセルを昼食後に飲む。

4 錠剤とカプセルを夕食後に飲む。

語句・表現

錠剤　Tablet-form drug　片剤

カプセル　Capsule　胶囊

こな薬　Medicine administered in powder form　粉状药

〜錠　〜tablet　〜片

解説　◆薬に関する表示　Labeling about the medicine　药品标签

「１回にX錠飲む」　　　　　「１日にY回飲む」

| 1回　X 錠 カプセル・包ずつ　　1日　Y回 |
| （　あさ・　ひる　・夕方・　寝る前　） |
| Z日分　　　食前・食間・食後 |

あさ：朝食
ひる：昼食
夕方：夕食

「Z日分の薬が入っている」

食前：食べる前
食間：食事と食事の間　例）朝食と昼食の間
食後：食べた後

読む前に　アルバイトをしたことがありますか。アルバイトをした目的は何ですか。

◇◇

★ 問題27　下の文章を読み、右のページの質問に答えなさい。答えは1、2、3、4の中から最もよいものを一つえらびなさい。

　ある大学の大学生を対象に、アルバイトについてアンケート調査した。その結果、この大学の場合、全体の約8割がアルバイトしていることがわかった。男女別にみると、男子学生のうちの79.4%がアルバイトをしているのに対して、女子学生は83.4%であり、女子学生の割合のほうが、男子学生を上回って(注1)いる。

　下のグラフはアルバイトの目的について調査した結果を表している。アルバイトの目的は、「生活費を稼ぐため」(32.8%)と「学生生活を楽しむため」(32.4%)がほぼ(注2)同数で、次に「社会経験のため」(24.2%)となる。「学生生活を楽しむため」とは、旅行や遊び、クラブ活動など、生活を楽しむお金を稼ぐためという意味だ。「勉学費」も含め、「お金を稼ぐため」が6割以上を占めてはいるが、アルバイトの目的がお金を稼ぐためだけでないことも注目すべきことだ。

(注1)上回る：ものごとがある数や量や程度より多くなる

(注2)ほぼ：だいたい

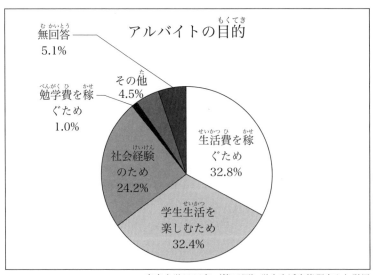

東京大学2008年（第58回）学生生活実態調査より引用

問い　この調査について述べているもので最も正しいものはどれか。

1　アルバイトをしている男子学生の割合はアルバイトをしている女子学生の割合より多い。

2　学生生活を楽しむためにアルバイトをしている学生は全体の約3分の2を占める。

③　アルバイトの目的は、お金を稼ぐためだけではない。

4　ほとんどの学生がお金を稼ぐためにアルバイトをしている。

語句・表現

対象　Subject, target　対象	全体　Everyone, the total number　所有人	〜割　1 *wari* = about 10%　〜成
〜に対して　By contrast, compared with～　与〜相反	占める　To account for　占	〜分の〜　[Fraction] of～　〜分之～

関連語彙

増加⇔減少　Increase⇔decrease　増加⇔減少	達する　To reach　达到	比較する　To compare　作比较
徐々に　Slowly　逐渐	急激に　Urgently　急剧	大半　Majority, most　大半

解説　◆グラフ

グラフについて解説した文章では以下のようなことが書かれている。
Explanatory text written for graphics should take account of the following.　关于图表的说明文包含以下内容。

①何についてのグラフか。　　What is the graphic about?　关于什么的图表。

②データの説明（一番多いのは何か、どのような割合になっているか、どのように変化したか、など）
Explanation of the data. (What is the most frequently occurring element? What percentage does it account for, and what change has there been, etc?)
对于数据的说明（最多的是什么，占多少比率，如何变化，等）

③②からどんなことがわかるか。　　What else can you learn from (2)?　从②的分析得出的结论。

●以下の言葉に注意しよう！　　Note the following:　注意下列词语！

・〜を表して／示している　　・shows/suggests～　表明／揭示～

・〜を上回る／下回る　　・is higher than/is lower than～　超过／低于～

・〜が○%であるのに対して、〜は○%である　　・～ is ○% compared with ～ at ○%　〜是○%，相反，〜是○%

・〜が○割／半分／大半を占める　　・～ accounts for [fraction]/one-half/most of　〜占○成／一半／大半

・〜は〜の○倍／○分の○　　・～ is [multiple] times ～ /is one-[fraction] of～　〜是〜的○倍／〜是○分之○

読む前に　インターネットで買い物をしますか。

◇◇

☆ **問題28**　ソウさんは友人の中村花子さんの誕生日にチョコレートを贈ろうと思い、インターネットで注文した。その後、右のページのメールを受け取った。これを読んで下の質問に答えなさい。答えは、1・2・3・4から最もよいものを一つえらびなさい。

問い　品物が中村さんの家に届けられたかどうかを知りたいが、どうしたらよいか。

1　8月1日ごろに届くことはわかるが、それ以上は調べられない。

2　このメールに返信をして、いつ届くかを問い合わせる。

3　○×ショップのホームページへ行き、調べる。

4　このメールの画面の「お客様情報」の部分をクリックして調べる。

解説　◆**注文内容の確認メール**　E-mail confirming the content of the order　订货内容的确认邮件

　インターネットで買い物をすると、「ご注文内容の確認」「ご注文受付完了のお知らせ」「ご注文ありがとうございます」などという件名で、注文の内容を確認するメールが届く。普通の文章のものや、表になっているものなど、いろいろな形式があるが、内容は以下のようなものが多い。

When you buy something online, you get a confirmatory email with headings such as ご注文内容の確認 (Confirmation of your order), ご注文受付完了のお知らせ (Notice of completion of receipt of order), and ご注文ありがとうございます (Thank you for your order). There are various formats, including regular text, and information presented in table form. The following details are common.

在网上购物时，会发来确认订货内容的邮件，邮件名是「ご注文内容の確認」（确认您的订货内容）「ご注文受付完了のお知らせ」（已受理您订货的通知）「ご注文ありがとうございます」（感谢您订货）等。邮件格式各种各样，有普通文章体的，也有表格类型的，内容多包含以下信息。

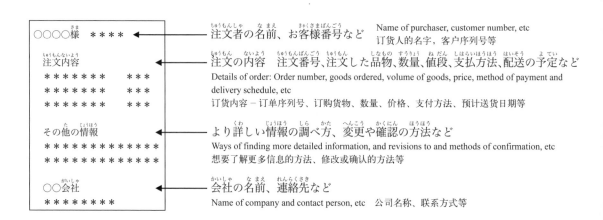

差出人： ○×ショップ［×××@marubatsu.co.jp］
宛先： 1234@○○○○.ne.jp
件名： ご注文内容の確認

ソウ　シューイー　様　（お客様番号：123456）

このたびは○×ショップをご利用いただき、誠にありがとうございます。
お申し込みの受付手続きが完了いたしましたので、お知らせ致します。
下記のご注文内容をご確認ください。

［ご注文番号］　1234-5678

［ご注文日］　20XX－07－16　10:34:19

［商品番号］　900-800-700

［商品名］"チョコレート　セットA"　価格　2,900円

［小計］　2,900円

［お支払方法］コンビニ払い

商品金額	：	2,900円
送料	：	600円
ご請求金額	：	3,500円

［お届け先］　中村花子　様

　〒XXX-XXXX　東京都○○市　X-X-X　　　　TEL　XX-XXXX-XXXX

［お届け予定］　20XX年08月01日ごろ　　9時～14時

※ご注文の配送状況は右の お客様情報 からご確認いただけます。
※このメールは送信専用アドレスより自動的に送信されています。ご返信いただいてもお答えできません。
※ご注文内容を確認・変更する場合は、○×ショップのホームページ (http://www.marubatsu.co.jp) の右
　上にある「アカウントサービス」をクリックしてください。

またのご利用を心よりお待ちしております。

(株)○×ショップ　　　http://www.marubatsu.co.jp
　〒 XXX－XXXX　　東京都○○市××　1－1－1

語句・表現

コンビニ払い　Payment through convenience store
在便利店支付

お客様情報　Customer information　客户信息

アカウントサービス　Your account　用户账号

配送状況　Status of delivery　送货详情

ホームページ　Web-page　主页

クリックする　To click　点击

実力養成編

じつりょくようせいへん

第4部　実戦問題

だいぶ　じっせんもんだい

第4部　学習の前に

　第4部では、第1部・第2部・第3部で練習したことを応用して、実際の試験と同じ形式の問題に答える練習をします。

　読解の能力はたくさんの読み物を読むことによって上がっていきます。この練習を重ねていき、実力をつけてください。

1）内容理解(短文)

　　150〜200字程度の文章に問いが1問あります。

2）内容理解(中文)

　　350字程度の文章に問いが3問あります。

3）内容理解(長文)

　　550字程度の長文に問いが4問あります。

4）情報検索

　　600字程度の広告・パンフレットなどに問いが2問あります。

In Part 4, you practice answering questions using the same format as in the actual examination, applying the knowledge you acquired in Parts 1-3.

Your reading proficiency will improve as you read a larger number of materials. Repeat these exercises over and over and build up your ability.

1) Understanding content (short sentences)

There is one question, based on short sentences of around 150-250 *moji* or syllables.

2) Understanding content (mid-length sentences)

There are three questions, based on mid-length sentences of around 350 *moji* or syllables.

3) Understanding content (long sentences)

There are four questions, based on long sentences of around 550 *moji* or syllables.

4) Finding out what you need to know

There are two questions, based on advertising, pamphlets and similar texts of some 600 *moji* or syllables.

在第4部分中，使用第1部分、第2部分和第3部分练习中掌握的知识，解答与实际考试相同形式的练习题。

阅读能力需要通过大量阅读才能得到提高。请反复练习，掌握实际能力。

1）内容理解（短篇文章）

150–200字左右的短文每篇设置1个问题。

2）内容理解（中篇文章）

350字左右的中篇文章每篇设置3个问题。

3）内容理解（长篇文章）

550字左右的长篇文章每篇设置4个问题。

4）信息检索

600字左右的广告、传单等每篇设置2个问题。

⭐ 問題29 つぎの文章を読んで、質問に答えなさい。答えは、1・2・3・4から最もよいものを一つえらびなさい。

　おにぎり(注1)は簡単に食べられるので、とても人気がある。

　このおにぎり、ただご飯を丸くしただけのように見えるが、上手に作るのは簡単ではない。ぎゅうぎゅうと力を込めて固くにぎっては、おいしいおにぎりにならない。けれどもあまり力を入れないと、食べるときにぼろぼろとくずれてしまう。食べるときにお米と具(注2)の味が混ざるようにふわふわと、でも、くずれない程度に力を込めてにぎらなければならない。

　自分の作ったおにぎりがあまりおいしくないと思っているなら、くずれない程度に強く、味が混ざるように優しくにぎってみることをすすめる。

(注1) おにぎり：炊いたご飯を三角形や丸の形にして作った日本の食べ物

(注2) 具：おにぎりの中に入れるおかずになるもの

問い 上手なおにぎりの作り方として正しいのはどれか。

1　食べるときにこわれてしまわないようにご飯を固くまとめる。

2　形が丸くなるように力を込めて何度もにぎる。

3　食べるときに形がこわれるぐらいやわらかくにぎる。

4　くずれないけれども食べるときにはやわらかいと感じるようににぎる。

語句・表現

ただ〜だけ　Just, only　只是

ぎゅうぎゅう　Onomatopoeic word for creaking; here means tightly (roll up)　使劲状

ぼろぼろ　Crumbly, tattered　散落状

ふわふわ　Fluffy, soft　蓬松绵软状

★ 問題30　つぎの文章を読んで、質問に答えなさい。答えは、1・2・3・4から最もよいものを一つえらびなさい。

　日本人は集団主義だとよく言われる。つまり、個人よりもみんなで行動することや、みんなのために行動することを大切にするというのだ。

　それにはさまざまな原因があるが、その一つに日本人が昔から「稲作（注1）」を行ってきたことがあると言われている。稲作では田植えや収穫など、みんなで一度に行う作業が多い。また、より多くの稲を上手に育てるには、稲作で使う水を個人の田んぼだけではなく、地域全体を考えて管理する　5
必要がある。

　このような稲作を何千年も続ける中で、日本社会では「みんな」がとても重要な基準になっていったのだろう。

（注1）稲作：米を作ること

[問い] どうして日本人は集団主義になったと書かれているか。

1　何千年も米を食べ続けているから。

2　昔から協力して飲み水を管理してきたから。

3　自分の田んぼで上手に稲を作ろうと競争してきたから。

4　みんなでする作業が多い稲作を続けてきたから。

[語句・表現]

田植え　Rice-planting　插秧

収穫　To harvest　收割

作業　Work, operations　劳动作业

地域　Area, district, region　地区

管理する　To manage　管理

基準　Standard, criterion　基准

⭐ 問題31 つぎの文章は手動発電式ライトの説明書である。本文を読んで、質問に答えなさい。答えは、1・2・3・4から最もよいものを一つえらびなさい。

使用方法

①右側のハンドルを引き出します。

②ハンドルを矢印の方向にくり返し回すことで、発電ができます。1分間の発電で、約10分の使用が可能です。

③ライトスイッチを押すと、ライトがつきます。

④ライトスイッチを押してから、白いボタンを押すと、ライトを点滅(注1)させることができます。

使用上の注意

・長時間ご使用の場合、ライトが暗くなることがあります。
　暗くなりましたら、発電用ハンドルを回してください。

・故障の原因となりますので、中を開けて分解しないでください。

・本製品は防水性ではありませんので、ぬらさないでください。

5

10

(注1)点滅：ライトがついたり消えたりすること

問い 本文の内容と合っているものはどれか。

1 ライトがつかなくなったら、電池を取り替えればよい。

2 ライトが暗くなったら、ハンドルを回して発電すればよい。

3 ライトスイッチを押せば、ライトを点滅させることができる。

4 長時間使うとライトが暗くなるので、短い時間だけ使うようにする。

語彙・表現

引き出す　To draw out　拔出来

発電　To generate power, electricity　发电

〜で〜が可能だ　You can do ~ by ~　靠〜能够〜

〜上　Above ~　〜方面

分解する　Analysis, decomposition　拆开

[メール（プライベート）] E-mail (private) 邮件（私人）

☆ 問題32　つぎの文章を読んで、質問に答えなさい。答えは、１・２・３・４から最もよいものを一つえらびなさい。

○×大学のサラさんは山田先生の研究室に月曜日に行く約束をしていたが、山田先生から下のようなメールが届いた。

あ　て　先　：　1234abc@lits.ac.jp
件　　　名　：　月曜日の約束
送 信 日 時　：　20XX年７月16日　13:16

··

サラさん

こんにちは、山田です。

来週の月曜日に研究室に来てくれるという約束でしたが、

実は急に会議が入ってしまい、都合が悪くなってしまいました。

申し訳ないけれど、日時を変更させてください。

もし早いほうがよければ明日、17日の5:00以降、

月曜日よりも後でよければ、水、木なら10時からOKです。

サラさんの都合を教えてください。

○×大学　外国語学部

山田　はな

e-mail　　yamadahana@marubatsu.ac.jp

5

10

問い　このメールを読んだ後、サラさんは山田先生にどんなメールを出せばよいか。

1　もう一度先生の都合を聞くメール

2　自分の都合を教えるメール

3　約束を延期したことをあやまるメール

4　都合が悪くなったことをあやまるメール

語句・表現

実は　In fact, in truth　实际上

都合が悪い　Inconvenient　不方便

日時　Date and time　时间

⭐ 問題33　つぎの文章を読んで質問に答えなさい。答えは、1・2・3・4から最もよいもの を一つえらびなさい。

　3億円が当たる宝くじ（注1）がある。それが当たったのにお金を受け取らなかった人がいる。彼は 70代の一人暮らしの男性で、受け取らない理由は「どう使えばいいかわからないから。」だそうだ。

　今は静かに生活をしていて、それに何の不満もない。彼が宝くじを買ったのは、亡くなった妻が 宝くじを楽しんでいたためで、お金が欲しいからではなかった。3億円を受け取っても、それを分 けるような子どもや親せきもいないし、高級車や大きな家を買う必要もない。それよりも、もし 3億円を受け取ったら、その金を目的に人が寄ってきていろいろな問題が起きるかもしれない。楽 しい事より大変な事が多いと考えたのだろう。

　何人もの人が受け取るようにすすめたが、彼の気持ちは変わらなかった。当たらない者から見た らもったいない話だが、彼はかしこい判断をしたのかもしれない。

（注1）宝くじ：番号などのついた券を買い、当たれば賞金がもらえる。

問1　彼はどうして3億円の宝くじを買ったのか。

1　3億円を何かに使う夢を見たかったから。

2　亡くなった妻が宝くじが好きだったから。

3　お金が欲しいと思ったから。

4　楽しいことがあると思ったから。

問2　3億円が当たった後で彼はどうしようと思ったか。

1　子どもや親せきと分けようと思った。

2　高級車を買おうと思った。

3　大きな家を買おうと思った。

4　受け取らないことにしようと思った。

問3 <u>彼はかしこい判断をしたのかもしれない。</u>とあるが、それはなぜか。

1 何人もの人に相談して意見を聞いたから。

2 面倒な問題が起きる可能性がなくなったから。

3 お金を役立つように使おうとしたから。

4 車や家を買って周りの人にあげようと思ったから。

語句・表現

親せき　　Relation, kin　　亲戚

高級車　　Luxury car　　豪华车

気持ちが変わる／変わらない　　Changes in his mind, does not change his mind　　改变主意／不改变主意

もったいない　　It would be a shame to waste it　　可惜

かしこい　　Clever, intelligent　　聪明的

判断　　Judgement　　决定

⭐　問題34　つぎの文章を読んで、質問に答えなさい。答えは、1・2・3・4から最もよいものを一つえらびなさい。

　人間関係のこと、勉強や仕事のことなど、いろいろなストレスが原因で病気になることは少なくない。ストレスなど全くない生活をしてみたいものだが、なかなかそうはいかない。

　どうせストレスから逃げられないのならば、大きなストレスよりも、がまんできるぐらいの小さなストレスのほうがまだいいと思うだろう。しかし、専門家に言わせると、このがまんできるぐらいのストレスが一番問題なのだという。なぜなら、受けたストレスをがまんできると思うと、人はそれを解決せずそのままにしてしまうからだ。そして、そうしているうちに、心や体をこわしてしまうというのだ。反対に、大きなストレスはつらいものだが、何とかそれを解決しようという力を起こさせ、人が成長するきっかけになることも多いという。

　ストレスが心や体をこわす原因になるかどうかは、その大小ではなく、乗り越えようとする気持ちと関係があるようだ。

（岡本裕『一生、「薬がいらない体」のつくり方』三笠書房より）

問1　専門家はストレスについてどう言っているか。

1　人間関係や勉強や仕事のことなどがストレスになる。

2　ストレスが原因で体をこわすこともある。

3　小さなストレスが一番困る。

4　ストレスが全くない生活をするべきだ。

問2　そうしているうちにとあるが、これは何を指しているのか。

1　大きなストレスをがまんしているうちに

2　大きなストレスを解決しようとしているうちに

3　小さなストレスをそのままにしているうちに

4　ストレスが全然ない生活をしているうちに

問3 本文の内容と合っているものはどれか。

1 小さくてがまんできるストレスならば何も心配いらない。

2 ストレスが大きいと必ず心や体をこわしてしまう。

3 小さなストレスでも解決しなければ心や体をこわす原因になる。

4 大きなストレスは成長するきっかけになるから辛くない。

語句・表現

人間関係　Interpersonal relations　人际关系

そうはいかない　This is an impossibility　不可能实现

まだいい　Nonetheless tolerable, preferable　勉强可以

〜せず　[Negative verb ending] without doing 〜　没有〜

そのまま　As is, [carry on] without change　保持原样

きっかけ　Trigger, incentive　契机

〜かどうか　Interrogative pattern for a yes/no question　是否〜

☆ 問題35　つぎの文章を読んで質問に答えなさい。答えは、1・2・3・4から最もよいものを一つえらびなさい。

　トキは大きくて美しい鳥である。体の大きさは75センチほどで、羽を広げると140センチにもなる。体の色は白っぽく見えるが、羽を広げると、うすい赤い色をしている。これはトキ色と呼ばれ、人々に好まれた。昔は日本中どこでもトキを見ることができたが、100年ほど前から羽を取るために捕まえられ、少しずつ数を減らしていった。工業化が進むと、トキが暮らす田んぼや森が減ったり、環境が汚染されたりして、その数は非常に少なくなった。そして1981年、ついに日本のトキは絶滅した(注1)。

　現在は、中国にいた同じ種類のトキを輸入し、佐渡という島で育てている。そして、数が増えてきたら自然に戻すという計画が立てられている。トキを復活(注2)させるため、多くの金を使い、多くの人々が努力している。

　自然は簡単に失われるが、一度失われたら元に戻すのは簡単ではない。

(注1) 絶滅する：ある種類の生物がすっかりいなくなる
(注2) 復活：なくなってしまったものが、また元に戻ること

問1　日本のトキの説明について、本文と合っているものはどれか。
1　昔は日本中にいたが、数を減らし、今は佐渡に数羽いるだけである。
2　日本各地の田んぼや森にいたが、絶滅し、今は輸入されたトキを育てている。
3　工業化が進むにしたがって数が減ってしまったが、現在はまた増えている。
4　絶滅してしまったため、トキに似た中国の鳥を輸入し、育てている。

問2　日本のトキはなぜ、数が減ったのか。
1　トキが田んぼや森の生き物を食べすぎて、捕まえられたから。
2　捕まえられた上に、トキの住む環境も悪化したから。
3　トキの生きられる場所が減り、中国などの国に行ってしまったから。
4　きれいなトキを飼いたいと思った人が多く、捕まえられたから。

問3 この文章を書いた人が言いたいことは何か。

1　非常にきれいな日本のトキが絶滅してしまったのは残念なことだ。

2　美しい生き物は、経済的に大変でも、再び増やして自然に返したほうがいい。

3　自然は、復活させるのが非常に難しいので、大切にしなければならない。

4　自然が失われかけても、さまざまな方法により復活させることができる。

語句・表現

羽　Wing　翅膀

白っぽい　Whitish　白色的

好む　To like, prefer　喜欢

田んぼ　Rice paddy　田地

汚染　Polluted　污染

自然に戻す　Return ~ to nature　放还大自然

☆ 問題36 つぎの文章を読んで質問に答えなさい。答えは、1・2・3・4から最もよいものを一つえらびなさい。

　町やビルで見かける飲み物の自動販売機は便利だが、夜、だれも使っていないのに、明かりがついているのを見ると、電気代をむだ使いしているように感じられる。

　しかし、実は、自動販売機はエネルギーを節約する技術が非常に進んでいる機械である。そこには、どのような工夫があるのだろうか。

　まず、冷たい飲み物は、全部を冷やすのではなく、売る直前の分だけ冷やすようになっている。自動販売機の中にあるコンピューターが、曜日や時間による売れ方の変化を見て、最小限の数だけを冷やすのである。だから、電気代が少なくてすむ。

　また、冷たい飲み物と温かい飲み物を同時に売る自動販売機の場合、冷たい飲み物を冷やしたときに出る熱を使って、温かい飲み物を温めることができるようになっている。

　以上のようなさまざまな技術によって、自動販売機は電力の消費を減らすことができたのである。

問1 自動販売機が電気をむだ使いしているように見えるのはなぜか。

1　自動販売機のエネルギーを節約する技術がなかなか進まないから。

2　だれも使っていないときも、明かりがついているから。

3　昼だけでなく、夜になっても使う人がいるから。

4　町やビルなどさまざまな場所にたくさん置いてあるから。

問2 自動販売機の飲み物の冷やし方として、正しいものはどれか。

1　急に冷やすのではなく、コンピューターで管理しながらゆっくり冷やす。

2　コンピューターによって、売る直前に短い時間で冷やす。

3　コンピューターが外の温度の変化を調べて、冷やす。

4　コンピューターでいつどのぐらい売れるかがわかるので、その分だけ冷やす。

問3 自動販売機のエネルギーの節約方法として、正しいものはどれか。

1　冷たい飲み物を冷やすと熱が出るので、それで温かい飲み物を温める。

2　温かい飲み物から出た熱を利用して、冷たい飲み物を冷やす。

3　温かい飲み物は、冷たい飲み物と同じ自動販売機で売らない。

4　温かい飲み物は自動販売機の明かりの熱で温める。

語句・表現

自動販売機　Vending machine　自動售卖机

むだ使いする　To waste, use wastefully　浪费

節約する　To save, economize　节约

工夫　Ingenuity　好的做法

最小限　Minimum　最小限度

消費　Consumption　消费

☆ 問題37　つぎの文章を読んで、質問に答えなさい。答えは、１・２・３・４から最もよいものを一つえらびなさい。

　日本語で話し合いをしているとき、なかなか話に入れないことがある。どうしたら、参加できるようになるだろうか。

　まずは、だれかが話しているとき、首を縦に振って「うなずく」ことである。１対１の話し合いならうなずいている人でも、多くの人での話し合いでは、何もしないでじっとしていることがある。しかし、これでは話している人は、不安になってしまう。うなずきは、相手の意見に同意するときだけでなく、同意できないときでも「あなたの話を聞いています」という合図なので、小さくうなずくだけで話し合いに参加できていることになる。そうすると、話し手は安心して先に進める。うなずくとき、「はい」や「そうですね」と相づちを打ってもいい。

　さらに、共感できる(注1)ところで「本当にそうですね」と言うことが大切である。このようにしていると、会話に入りやすくなる。

（今井登茂子「うなずいて共感を表現」日本経済新聞朝刊2011年9月24日より）

(注1) 共感する：相手の気持ちや意見を自分も同じように感じたり、理解したりする。

問1　そうするととあるが、どのようにすることか。
1　相手に「あなたの話を聞いています」と言う。
2　相手の意見に同意できるときにだけ、首を縦に振る。
3　相手が話しているときは、何もしないでじっとしている。
4　相手の意見に同意できるときもできないときも首を縦に振る。

問2　うなずくことは、どのような役割があるか。
1　相手の話を早く先に進ませる役割
2　相手の話を聞いていることを示す役割
3　相手の意見に共感していることを伝える役割
4　自分がこれから話し始めたいことを表す役割

問3 この文章では、どうすれば上手に話を始められると言っているか。

1　1対1の話し合いではうなずくこと、大勢では相づちを打つこと

2　だれかが話しているときにうなずいたり、相づちを打ったりすること

3　相手が話している間はじっと聞き、終わってから「そうですね」と言うこと

4　相手の話に共感できなくても、「本当にそうですね」と相づちを打つこと

語句・表現

じっとする　To keep quiet　一动不动

合図　Signal, sign　暗号

相づちを打つ　To nod along, speak noncommittally　附和

⭐ 問題38　つぎの文章を読んで、質問に答えなさい。答えは、1・2・3・4から最もよいものを一つえらびなさい。

　科学技術の進歩によって、私たちの生活はより快適で便利になっている。しかし、便利になるということは、①人間の能力が失われることだとも言われている。

　たとえば、重いものを持ち上げて運ぶとき、機械がなかった時代には人が行っていた。昔の武道(注1)を研究している人の話によると、これはそのころの人が今よりずっと力があったというわけではなく、どのように体を使えば重いものを運べるかがわかっていたので、できたのだという。だが、今は②それが伝えられることもなくなりつつある。

　また、文字を持たない社会には、非常に長い物語や詩などでも、覚えて伝えられる人がいた。しかし、今、そのような人は非常に少なくなっている。こうしたことを考えると、自分たちがなくしたものの存在に気づかされる。

　これから、私たちはどのような能力を失うのだろうか。

(注1) 武道：武士が戦いのために身につけなければならない技術や精神

問1　なぜ①人間の能力が失われるのか。
1　今は、昔よりも生活に役立つ機械や道具が増えてきたから。
2　今の人々は昔のことを思い出そうとしなくなったから。
3　昔の人々はいつも能力を高めようとしていたが、今はしないから。
4　昔と違い、今の人々は快適で便利な生活を求めなくなったから。

問2　②それとは何を指すか。
1　機械
2　力のある体
3　体の使い方
4　人々の協力

問3 この文章では科学技術の進歩について、どう言っているか。

1　進歩によってよりよい生活が送れるが、人がやっていた仕事がなくなる。

2　進歩はすばらしいが、それによって人と人とのつながりが失われていく。

3　進歩すると、機械や道具に頼って、さまざまなことが自分でできなくなる。

4　進歩するにしたがって、昔のことは伝えられず、どんどん忘れられてしまう。

─────

語句・表現

進歩　Progress　进步

快適な　Comfortable　舒适

失う　To lose　失去

☆ 問題39 つぎの文章を読んで、質問に答えなさい。答えは、1・2・3・4から最もよいものを一つえらびなさい。

　日本では1960年代ごろから車が増加し、道路が整備される(注1)とともに、地方都市が①外側へと広がった。郊外に住む人が増え、大きなスーパーや病院のような施設(注2)も郊外に造られるようになったのである。そうした所へは歩いて行けないが、車で行けるようになった。しかし、それで困るのが高齢者である。高齢者は車を運転する人が多くないため、郊外まで買い物や病院に行くのが難しい。

　一方、街の中心部の店には客が来なくなって、閉店するところも増えてしまった。そこで、最近、いくつかの都市はさまざまな施設を再び街の中心に戻し、人々も中心部に集まって住めるようにしようとしている。このような都市はコンパクトシティと言われており、お年寄りも気軽にいろいろな場所へ行くことができる。高齢化が進み、人口が減少している現在、②こうした都市が注目されている。

(注1) 整備する：使えるような状態にする
(注2) 施設：ある目的のために造られた建物

問1 ①外側へと広がったとは、どのような意味か。
1　都市の外側に新しく別の街ができた。
2　道路が造られて、ほかの街へも行きやすくなった。
3　街の郊外にも住宅や施設ができた。
4　街の面積が広くなって、施設や家も広くなった。

問2 コンパクトシティとは、本文によるとどのような意味か。
1　中心部の多くの店が閉店してしまう都市
2　お年寄りが買い物に行ったりするのが難しい都市
3　お年寄りが車を運転して買い物などに行ける都市
4　施設などを中心部に戻し、人々もそこに住めるようにした都市

問3 ②こうした都市が注目されているとあるが、なぜ注目されているか。

1 車を呼ぶと、お年寄りをいろいろな店や施設に連れて行ってくれるから。

2 街の中心にある店や施設に、お年寄りが簡単に行けるようになったから。

3 街の中心に人々が集まって、にぎやかになっているから。

4 高齢化が進み、人口が減る中で、この街は人口が増えると思われるから。

語句・表現

増加する　　To increase　増加

高齢者　　Senior citizen　老年人

気軽に　　Easily, conveniently　便捷地

高齢化　　To gray age (of a society)　老龄化

減少する　　To decrease　减少

注目する　　To focus on　关注

★ 問題40　つぎの文章を読んで、質問に答えなさい。答えは、1・2・3・4から最もよいも
のを一つえらびなさい。

　「スキーが好きです。」「この肉、食べにくい。」のように、同じ音、同じような音を使う言葉の遊
びをダジャレと言う。日本語には似た発音でも意味が違う言葉が多いので、ダジャレを作りやす
い。小学生や中高年のおじさんたちなどはダジャレが大好きだ。ただ、おじさんが言うと、たいて
い①冷たい目で見られる。つまらなかったり、同じダジャレを何度も言ったりするからだ。

　それでも、ダジャレは役に立つこともある。だれにでも作れ、うまいダジャレなら人を笑わせて
気持ちを明るくすることができる。

　また、ある脳の研究者によると、ふだんからおもしろいダジャレを作ろうとしていれば、脳を鍛
える(注1)ことにもなり、ボケ防止(注2)にも役立つらしい。

　簡単な言葉遊びで緊張がとけたり、笑い合って明るい気持ちになったり、脳のトレーニングにも
なるなら、それはすばらしいことではないだろうか。

(注1) 鍛える：練習などを繰り返して、体や頭や技術をしっかりさせる
(注2) ボケ防止：頭の働きが悪くなるのを防ぐこと

問1　①冷たい目で見られるのはだれか。

1　ダジャレを聞いた人

2　ダジャレを言ったおじさん

3　ダジャレを言った小学生

4　この文を書いた人

問2　この文章によると、ダジャレのよい点は何か。

1　ダジャレを作ろうとすると、脳のトレーニングになる。

2　ダジャレを作るために、いろいろなことを調べる。

3　ダジャレを聞いて笑うと、脳の働きがよくなる。

4　ダジャレを聞くと、似たような音の言葉をたくさん覚える。

問3 この文章を書いた人が一番言いたいことはどれか。

1　中高年の男性はおもしろいダジャレを言うが、まわりの人は理解できない。

2　中高年の男性はダジャレを言う人が多く、よくみんなを楽しませている。

3　ダジャレはだれにでも作れるが、まわりの人に言うのはよいことではない。

4　ダジャレは簡単に作れ、緊張をなくしたり、気持ちを明るくすることもできる。

語句・表現

冷たい目　To look unfavourably on　冷漠的目光

（緊張が）とける　To dissipate, ease, lift [tension]　消除（緊张）

笑い合う　To laugh together　相視一笑

☆ 問題41　つぎの文章を読んで、質問に答えなさい。答えは、1・2・3・4から最もよいものを一つえらびなさい。

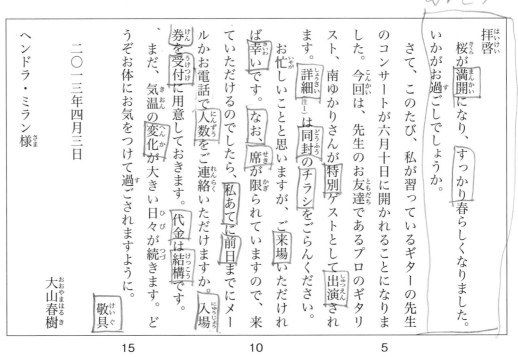

あいさつ

拝啓

　桜が満開になり、すっかり春らしくなりました。いかがお過ごしでしょうか。

　さて、このたび、私が習っているギターの先生のコンサートが六月十日に開かれることになりました。今回は、先生のお友達であるプロのギタリスト、南ゆかりさんが特別ゲストとして出演されます。詳細(注1)は同封のチラシをごらんください。

　お忙しいことと思いますが、ご来場いただければ幸いです。なお、席が限られていますので、来ていただけるのでしたら、私あてに前日までにメールかお電話で人数をご連絡いただけますか。代金は結構です。入場券を受付に用意しておきます。

　まだ、気温の変化が大きい日々が続きます。どうぞお体にお気をつけて過ごされますように。

敬具

二〇一三年四月三日

大山春樹

ヘンドラ・ミラン様

(注1) 詳細：くわしいこと

問1　このコンサートに出演するのはだれか。

1　大山さんと南ゆかりさん

2　大山さんと先生と南ゆかりさん

3　先生と南ゆかりさん

4　南ゆかりさんと特別ゲスト

問2　ヘンドラさんは、妻とこのコンサートに行きたい。どうしたらよいか。

1　大山さんにメールで2人分の券をお願いする。

2　大山さんにメールで2人分の券をお願いし、受付にお金を送る。

3　会場にメールで2人分の券をお願いする。

4　会場にメールで2人分の券をお願いし、当日、受付でお金を払う。

問3 行く連絡は、いつまでにしなければならないか。

1　4月2日

2　4月3日

3　6月9日

4　6月10日

語句・表現

ゲスト　Guest　嘉宾

出演する　To appear, perform　参演

来場する　Attend, come to a venue [for a function]　光临

限られている　To be limited　有限的

⭐ 問題42　つぎの文章を読んで、質問に答えなさい。答えは、1・2・3・4から最もよいも
のを一つえらびなさい。

　日本語では「する」という言い方よりも「なる」という言い方のほうが好んで使われる。「する」を
使うと①話し手の意志があることが伝わり、「なる」を使うと話し手の意志ではなく自然に起きた、
そのような状態にあるということが伝わる。

　例えば、禁煙のレストランで一人の客がタバコを吸っている場面で、店側は何と言ってタバコを
やめてもらうだろうか。このレストランを禁煙と決めたのは店の人だ。店の人の意志でそのレスト
ランを禁煙にしたはずだ。それならば、「ここは禁煙にしております。」と言うのが自然に思える。
しかし、この「〜にする」は②上に書いたとおり、話し手の意志が強く伝わる。この場面では、相手
の「たばこを吸う」という行動に対立する(注1)意志が強く表現されてしまう。その結果、相手を怒ら
せてしまうかもしれない。一方、「ここは禁煙になっております。」と言うと、自分の意志とは関係
なく、単にレストランの決まりを伝えているという形になり、相手と対立するような形にはならず
に言いたいことを伝えられる。

　このように日本人は「なる」をうまく使うことで人と対立しないようにしているのだ。「する」と
「なる」は文字で見るとたった一文字の小さい違いだが、コミュニケーションの上では大きな違い
なのである。

(注1) 対立する：二つのものが反対の立場に立つ

問1　①話し手の意志があるとあるが、どういうことか。

1　話し手がそうしたいと思ってやっている。

2　話し手が自然にそうしている。

3　話し手はやりたくないのにやっている。

4　話し手はどちらでもいいが聞き手がそうしたいと思っている。

問2　②上に書いたとおりとあるが、どこを指しているか。

1　日本語では「する」という言い方よりも「なる」という言い方が好まれる。

2　日本語では「する」を使うと話し手の意志があることが伝わる。

3　店の人の意志でそのレストランを禁煙にしたはずだ。

4　「ここは禁煙にしております。」と言うのが自然に思える。

問3 この場合の店の人の一番の目的は何か。

1　タバコを吸っている客にレストランの決まりを伝えたい。

2　レストランでタバコを吸っている客にタバコをやめさせたい。

3　タバコを吸っている客を叱りたい。

4　タバコを吸っている客を傷つけたくない。

問4 この文章の内容として正しいものはどれか。

1　「する」は相手の意志を強く伝えるもので、対立することがある。

2　「なる」を使うと対立をさけることができる。

3　「する」は単に決まりを教える言い方である。

4　「なる」を使うと相手と対立してしまう。

語句・表現

意志　Intent, will　意志

伝わる　To convey, pass on　传达

状態　Condition, state　状态

〜側　Side; one of two or more parties　〜一方

〜とおり　In accordance with 〜　按照〜

⭐ 問題43　つぎの文章を読んで、質問に答えなさい。答えは、１・２・３・４から最もよいものを一つえらびなさい。

　日本人にとって桜は特別な木である。春になると桜の花の美しさを求めて、家族や仲間が集まって花見を楽しむ。桜で有名な場所は各地にあるが、近所の公園や並木道(注1)などにも、桜が楽しめるところは数多くある。

　桜はとても手がかかる木である。花は春の１週間ほどはきれいだが、すぐに散り始め、小さな花びらがあちこちに飛んで行き、何日も掃除しなければならない。葉は秋に赤や黄色に変わり、再び私たちの目を楽しませてくれるが、すぐに落ちて、大量の落ち葉を片付けるのがまた大変である。しかし、美しい花や紅葉を見せてくれるのだから、①掃除ぐらいで文句を言ってはいけないだろう。

　桜に②最も手がかかるのは、長生きさせることである。放っておく(注2)と60～70年ぐらいで木が弱り、枯れてしまうと言われている。このため、不必要な枝を切ったり、重くて下がってきた枝を支えたり、色々と世話をする必要があるのだ。このような作業はとても面倒だが、桜を大切に思う人々により全国で行われていて、樹齢100年を超える桜も珍しくない。

　古くからある桜を大事にするだけでなく、新しい桜を植えることもさかんだ。新しい公園や学校ができると必ず若い桜の木が植えられる。手がかかると分かっていても、日本人は身近なところに桜の木があってほしいと思うのだ。日本人にとってこれほど特別な木は桜の他にはないだろう。

（注1）並木道：何十メートルも、両側に木が植えてある道

（注2）放っておく：世話などを何もしない

問1　桜の花は開いてからどうなるか。
1　翌日には散り始める。
2　花の色が変わっていく。
3　何週間も咲いている。
4　７日間ぐらいは咲いている。

問2　①掃除ぐらいで文句を言ってはいけないだろう。とあるが、どういうことか。
1　花や葉で楽しませてくれることに比べたら、掃除の大変さは小さいことだ。
2　掃除はいいことなので、文句を言わずに喜んでやらなければならない。
3　葉の掃除は花びらの掃除ほど大変ではないので文句を言ってはいけない。
4　掃除はとても大変なので、やりたくないのはあたりまえだ。

問3 ②最も手がかかるのは、長生きさせることである。とあるが、どうすればよいか。

1 何もしないほうがいい。

2 重くなった枝を切る。

3 花びらや葉を掃除する。

4 いらない枝を切る。

問4 この文章を書いた人が一番言いたいことは何か。

1 桜は手をかけても70年ぐらいで枯れてしまう。

2 今ある桜が枯れたら日本には桜がなくなってしまう。

3 手がかかっても日本人は桜の木を特別に大切にしている。

4 桜を長生きさせるためには花びらや葉を掃除しなければいけない。

語句・表現

手がかかる／手をかける　To need a lot of looking after/to take good care of　耗费精力/花费时间

散る　To scatter　凋落

花びら　Petal　花瓣

再び　Again, for a second time　再次

文句を言う　To complain　抱怨

長生きする　To live a long time　长寿

枯れる　To wither　枯萎

支える　To support　支撑

樹齢　Age of a tree　树龄

超える　To exceed, surpass　超过

身近な　Close at hand, familiar　身边的

⭐ 問題44　つぎの文章を読んで、質問に答えなさい。答えは、１・２・３・４から最もよいものを一つえらびなさい。

　今、一つの家で家族以外の人と一緒に暮らす、シェアハウスという住宅が増えている。シェアハウスとは、アパートのように自分用のかぎ付きの部屋はあるが、台所や居間、シャワー、トイレなどは共同で使う住宅である。

　家賃は周りのアパートなどと同じ程度だが、共同部分があるため、部屋に冷蔵庫などを置く必要がなく、自分の部屋を広く使える。また、一人暮らしの自由を楽しめるだけでなく、共同部分でほかの住人と交流ができるため、さびしさや不安も少なくなる。仕事も国も年齢も違う人と一緒に過ごせば、おもしろい発見があるかもしれない。

　ただし、快適に生活するためにはいくつか注意点がある。入る前に、必ず見学をして、そこに住んでいる人と自分の生活のしかたが合うかどうかを確認することだ。年齢や職業もチェックしたほうがいい。共同部分の使い方についても、どのような決まりになっているかを知っておきたい。掃除、音などで問題が起きることもあるからだ。また、ベッドなどの家具や洗濯機等の電気製品が付いているかどうかも確認したほうがいい。付いている場合は、入るときにこれまで持っていたものを手放さなければならず、出たあとは、買う必要がある。入る前に、以上の点に注意しておけば、失敗が少ないだろう。

問1 この文章のシェアハウスの説明と合っているものはどれか。
1　家賃が周りのアパートより安い。
2　一人一人が独立した部屋を持っている。
3　一人一人に専用のトイレとシャワーがある。
4　一人の部屋の広さがふつうのアパートより広い。

問2 シェアハウスのよい点はどんなところだと言っているか。
1　共同部分では他の人と話ができるので、さびしくない。
2　自分で掃除をしたり、ご飯を作ったりする必要がない。
3　どのシェアハウスにも家具や電気製品がついている。
4　同じような年齢や仕事の人と気を遣わずに住むことができる。

問3 シェアハウスに入るときの注意点で本文と合っているのはどれか。

1 自分の生活のしかたが住んでいる人と合うかどうか、見学をして調べる。

2 年齢や仕事が違う人が住んでいたら、そこには住まないほうがいい。

3 共同部分の使い方について、自分で決まりを作らなければならない。

4 ベッドや電気製品を持っていたら、必ず手放さなければならない。

問4 この文章を書いた人が伝えたいことは何か。

1 シェアハウスは気をつけるべき点があり、住んでみて失敗する人が多い。

2 シェアハウスは経済的で、住人同士の交流もあるので、増やすべきだ。

3 シェアハウスはよい点が多いが、注意点を確認してから決めたほうがいい。

4 シェアハウスでは一人の自由な時間がないが、他の住人と安心して住める。

語句・表現

住宅	Residence, housing	住宅
居間	Living room	客厅
家賃	[Apartment] rent	房租
程度	Level, extent	程度
共同部分	Shared parts, facilities	公共区域
交流	Chat with	交流
発見	Discovery	发现
快適に	Comfortably	舒适
確認する	To confirm	确认
チェックする	To check	确认
手放す	To put down, let go of	丢弃

⭐ **問題45**　つぎの文章を読んで、質問に答えなさい。答えは、１・２・３・４から最もよいものを一つえらびなさい。

　日本の鉄道は時間が正確なことで有名だ。それには鉄道に関係する人々の努力が欠かせない(注1)。列車の掃除もその一つである。

　新幹線の場合を見てみよう。16両の新幹線ならゴミ出しやトイレの掃除なども入れて55人が担当する。１両（63～100席）は普通、２人で担当する。時間は10～12分。遅れると乗客に迷惑をかけ、出発時刻も遅らせてしまう。

　担当者は車内に入ると、まず空いたペットボトル(注2)や缶を集め、座席の背もたれ(注3)にかかっている白い布を取り外す。次に座席を元の位置に戻し、新しい布をつける。ほうきで座席をきれいにし、ひじかけ(注4)をふく。鏡を使って、たなに忘れ物がないか確認する。最後に床を掃く。これを時間内で終わらせなければならない。

　この仕事を12年前にパート(注5)仕事で始めた安喰さんは、それまで主婦をしていたが、家の掃除とはまったく違うことに気づかされた。そのため、休日に自宅の居間にいすを並べて、時間を計って練習したそうだ。２年たつと、時計を見なくても残り時間がわかるようになった。その後、仕事が認められて社員となり、８年目は作業長に、今は550人を指導する管理職になった。

　以前、台風のため新幹線が遅れて掃除時間が４分しかないことがあった。最低限必要な作業をどうするか、不安な気持ちをおさえ、担当者を集めて細かく指示した。決められた時間に出発したときの①うれしさは忘れられなかったという。

　このようにさまざまな人々のおかげで②鉄道は正確な時間に走れるのである。

（朝日新聞夕刊2011年9月5日より）

（注1）欠かせない：必要である。なくてはならない。

（注2）ペットボトル：飲み物を入れるプラスチックの入れもの

（注3）背もたれ：座席の背中をささえる部分（イラスト参照）

（注4）ひじかけ：座席の腕を休めることができる部分（イラスト参照）

（注5）パート：普通よりも短い時間だけ働くこと

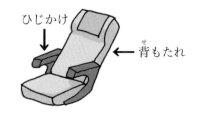

ひじかけ　　背もたれ

問1 新幹線の掃除について、本文と合っているものはどれか。

1 10～12分以内に、1人が1つの車両の掃除をする。

2 10～12分の間に、ゴミ出し、トイレや車両の掃除を終わらせる。

3 車両では、はじめに忘れ物がないか確認して、床を掃除する。

4 車両の座席をきれいにしてから、背もたれの布を取り替える。

問2 安喰さんは、どうして仕事がうまくできるようになったか。

1 主婦をしていて、その経験が新幹線の掃除に役に立ったから。

2 家の掃除とは違うのに気づき、休みの日に家で練習したから。

3 一緒に働く人たちのやり方を見て仕事をしていたから。

4 早く終わらせるために、時計を見ないで仕事をしたから。

問3 ①うれしさとあるが、何がうれしかったのか。

1 いつもほど長く掃除をしなくてもよかったこと

2 短い時間で仕事を終わらせ、時間どおりに発車できたこと

3 時間が短くても、いつもと同じ作業が全部できたこと

4 台風でも新幹線がいつもどおり動いていて、掃除ができたこと

問4 ②鉄道が正確な時間に走れるとあるが、その理由は何か。

1 列車が遅れないように各担当者が仕事をきちんとやろうとしているから。

2 それぞれの仕事が非常に多くの人々によって行われているから。

3 仕事のやり方が細かく決められていて、だれでも問題なくできるから。

4 頭のいい管理職が担当者をうまく指導し、管理しているから。

語句・表現

鉄道　Railways　铁路交通系统

迷惑をかける　To inconvenience　带来麻烦

ほうき　Brush　扫帚

作業長　Head of operations, foreman　组长

指示する　To indicate, direct　指示，布置

担当する　To take charge of, be responsible for　负责

取り外す　To remove, take away　取下

掃く　To sweep　扫

管理職　Management-level employee　管理岗

⭐ 問題46　つぎの文章を読んで、質問に答えなさい。答えは、1・2・3・4から最もよいものを一つえらびなさい。

　最近、大学だけではなく小中学校でも、成績が悪く授業についていけない生徒は上の学年に進ませずに、もう一度同じ学年で勉強させようという意見が出ている。これは本当に子どもにとってよいことなのだろうか。

　まず、①一つ目の問題は、クラスの中のつながりが非常に強い小中学校で、自分一人が進級できないと、大変なショックを受ける(注1)ということだ。その上、下の学年の生徒が自分より勉強ができるようになってきたら、やる気も自信もなくしてしまうかもしれない。 5

　もう一つは、同じ内容をくり返し勉強しても、成績は必ずしも上がらないと思われることだ。成績が悪いのは、勉強をする習慣がない、勉強のやり方がわからない、基礎的なことがわかっていないなどが原因であることが多い。これを何とかしなければ、②結果は変わらないだろう。

　もちろん今の学年の内容がわからないままで上の学年に上がってしまったら、今より難しい内容についていくことはできない。だが、その生徒に対して、ボランティア(注2)が特別に指導をしたりすれば、③この問題は改善すると考えられる。 1

　たとえば、授業が終わったあとに、教師になりたい大学生や、退職した(注3)教師が学校に来て、その生徒の問題を知り、その子どもに合った指導をするのである。このようなことをしていけば、やる気をなくすこともなく、上の学年にいても勉強についていくことができるのではないだろうか。 1

(注1) ショックを受ける：ある原因でとても不安になる

(注2) ボランティア：お金のためではなく、社会に役立つことを進んでする人

(注3) 退職する：仕事をやめる

問1　①一つ目の問題とあるが、このような問題が起こる理由は何か。

1　元のクラスの生徒といっしょに上の学年に行けないから
2　一人だけ授業が終わってから残らなければならないから
3　自分がクラスの中で一番勉強をしなかったから
4　自分だけが元のクラスの生徒と遊べないから

問2 ②結果は変わらないだろうとあるが、どういう意味か。

1 勉強ができない生徒が上の学年に上がるだろう。

2 勉強ができない生徒が上の学年に上がらないだろう。

3 勉強ができない生徒が勉強がわかるようになるだろう。

4 勉強ができない生徒が勉強がわかるようにならないだろう。

問3 ③この問題とは何か。

1 小学校や中学校で上の学年の勉強の内容が今より難しくなること

2 勉強ができない生徒が上の学年に上がったときに授業を理解できないこと

3 勉強ができない生徒が授業についていけないので上の学年に上がれないこと

4 勉強ができない生徒にボランティアなどが特別な指導をしないこと

問4 上の学年の勉強内容についていくために、この文章を書いた人はどうするべきだと言っているか。

1 教師がボランティアといっしょに授業のあとに特別な指導をする。

2 ボランティアとクラスのほかの生徒がわからないところを教える。

3 勉強の苦手な生徒に合った内容をボランティアが指導する。

4 授業中にボランティアがわからないところについて教える。

語句・表現

成績　Performance, grades　成績

つながり　Connection, bonds　联系

自信　Confidence　自信

基礎的な　Fundamental, basic　基础的

内容　[Course] contents　（学习）内容

指導　Guidance, instructions　辅导

ついていく　To follow, attend [class]　跟得上

やる気　Motivation, enthusiasm　干劲

必ずしも　[With negative verb form] not necessarily　未必

結果　Result　结果

〜に対して　For, in the case of〜　〜对于

改善する　To improve　解决

★ 問題47　つぎの文章を読んで、質問に答えなさい。答えは、1・2・3・4から最もよいものを一つえらびなさい。

　恋人や結婚相手の考えていることがわからないと言う人がときどきいる。しかし、相手に自分と同じような考えを期待するほうが間違っているのではないだろうか。

　先日、男女の違いについておもしろい話を聞いた。それによると、いくつかの場面で、男性と女性の考え方や行動のしかたが大きく違うようだ。a）とb）のどちらが男性でどちらが女性のことを言っているか、考えながら読んでほしい。

1．買い物について
　　a）いつも200円のものが100円になっていると、必要がなくても買う。
　　b）いつも100円のものが200円になっていても、必要ならば買う。

2．将来について
　　a）結婚するまでは将来について心配をしている。
　　b）結婚するまでは将来について何も心配していない。

3．結婚について
　　a）相手に変わってほしいと期待しているが、相手は変わらない。
　　b）相手に変わらないでほしいと期待しているが、相手は変わる。

　さて、a）とb）、どちらが男性で、どちらが女性か、すぐにわかっただろうか。a）が女性で、b）が男性なのだそうだ。確かに自分や自分の周りの人を見ていると、当たっているようにも思える。男女はもともと違うものだと考えたほうがよさそうだ。

　相手は自分と違うのだから、違いを埋めていくための努力がなければ、よい関係を作ることはできないと思ったほうがいいだろう。

問1 買い物について男性はどうだと言っているか。

1 いつも値段が安いものを探して買ってしまう。

2 値段が高いほうがよいものだと思って買ってしまう。

3 買わなくてもいいものでも値段が安いと買ってしまう。

4 買わなければならないものなら値段のことは考えずに買ってしまう。

問2 将来について女性はどうだと言っているか。

1 夫ができると、将来について心配し始める。

2 夫ができると、将来について心配しなくなる。

3 夫ができる前は、将来について心配はしない。

4 夫ができてから、将来について心配になる。

問3 結婚について男性はどうだと言っているか。

1 妻に今のままでいてほしいと願っているが、妻は変わってしまう。

2 自分は変わらないと思っているが、いつの間にか変わってしまう。

3 妻にもっとよくなってほしいと願っているが、妻はあまり変わらない。

4 自分は今のままでいようと思っているが、妻はそうは思っていない。

問4 この文章で一番言いたいことは何か。

1 男性と女性は考えや行動が異なっているから、絶対に分かり合えない。

2 男性と女性の考え方や行動は異なっているが、それは科学では証明されていない。

3 この話の男性と女性の考えや行動の比較は当たっている。

4 男性と女性は違うのだから、分かり合おうと努力することが必要だ。

語句・表現

相手　The other person, partner　对方

期待する　To expect　期待

行動　Action, behavior　行为

もともと　Originally, from the first　原本

違いを埋める　To reconcile differences　弥合差异

⭐ **問題48** つぎの文章を読んで、質問に答えなさい。答えは、1・2・3・4から最もよいものを一つえらびなさい。

富士山は標高(注1)3,776メートルの日本一高い山で、世界文化遺産でもある。登山道が整備されているため、毎年何十万人もの人が山頂(注2)を目指すそうだ。私もツアーに参加して登ることにした。

登りはじめは楽だった。でも、3時間ぐらいすると、だんだん岩が多くなり、登りにくくなってきた。その上天気も悪くなり、前も後ろも真っ白で①ほとんど見えなくなってしまった。そこはちょうど雲の中だったのだそうだ。何も見えずに、ただ一歩ずつ前に進むしかなく、この時は不安でつらかった。しばらくすると、急に天気がよくなった。雲が移動したのではない。私たちが雲の上に出たのだ。足の下には雲が海のように広がっていた。素晴らしい景色を見たら元気が出てきて、目標の山小屋(注3)に予定時間に着くことができた。私たちはそこで一泊した。

次の朝、まだ暗いうちに山小屋を出発して山頂まで登ったが、②そこでは大勢の人が太陽を待っていた。やがて、薄暗かった空が次第に明るい青色になって、そして空の下の部分だけがオレンジ色に変わってきた。そして、太陽が静かに昇り始め、まぶしい光が伸びてきた。光はどんどん強くなり、私たちを照らした。山頂はとても寒かったが、太陽の光が当たって身体が温かくなるのを感じた。

富士山に登るのは大変だったが、登らなければできない素晴らしい経験がいくつもできた。毎年登る人もいると聞くが、その人たちの気持ちがよくわかる。

(注1)標高：海面からの高さ

(注2)山頂：山の一番上

(注3)山小屋：山にある宿泊や休憩や避難などができる施設

問1 ①ほとんど見えなくなってしまった。とあるが、どういうことか。

1 大勢の人がいたので、前が見えなかった。

2 雨が激しく降って前がよく見えなかった。

3 雲の中に入ってしまい、よく見えなかった。

4 夕方になったので暗くてよく見えなかった。

問2 ②そことあるが、どこか。

1　富士山の登山道全体

2　富士山の山小屋を出たところ

3　富士山を3時間ぐらい登ったところ

4　富士山の一番上

問3 富士山から見た、太陽が昇る様子について正しいものはどれか。

1　空全体が青い色からオレンジ色に変わって太陽が昇る。

2　オレンジ色の空から太陽が昇ると、空が青くなる。

3　空が明るい青色になってから下の方がオレンジ色になり、太陽が昇る。

4　空がまぶしくなってからオレンジ色の太陽が昇り始める。

問4 この文章を書いた人は富士山登山についてどう思っているか。

1　また登りたくなるぐらい、素晴らしい経験ができる。

2　つらくて不安なものなので、一度登れば十分だ。

3　登山道が整備されていて楽なので、また行きたい。

4　富士山に登るなら、ツアーに参加するのがいい。

語句・表現

世界文化遺産　World Heritage Site　世界文化遗产

目指す　To aim for　以～为目标

～うちに　During, while　在～期间

次第に　Gradually, by degrees　渐渐地

伸びる　To grow, increase　延伸

整備する　To equip, put in order　建造

一泊する　To stay one night, spend the night　住一个晚上

薄暗い　Dim, dusky　昏暗

まぶしい　Bright, vivid　耀眼的

照らす　To illuminate, shine　照耀

☆ 問題49　つぎの文章を読んで、質問に答えなさい。答えは、１・２・３・４から最もよいものを一つえらびなさい。

　評論家という仕事がある。ある分野について深い知識を持ち、人々が参考にできるような解説や評価などをする仕事である。今では、政治評論家、経済評論家からラーメン評論家まで、あらゆる分野の評論家がテレビや雑誌などで活躍をしている。しかし、医者や学校の先生のように、評論家になるための資格試験があるわけではない。彼らは一体どうやって評論家になったのだろうか。

　彼らの多くは必ずしも評論をするために深い知識を得たのではない。若いころからある分野に対して人並み外れた (注1) 知識や興味を持っており、夢中でそれを学ぶうちに、いつの間にかそれを仕事にすることになったという人も多い。好きな分野を仕事にできるとはうらやましい話だが、①ただ人並み外れた深い知識があれば評論家になれるというものでもないだろう。評論家として収入を得るためには、新聞や雑誌、テレビなどのマスメディア (注2) に取り上げられなければならない。

　②マスメディアに取り上げられるためには、人々が納得し、話を聞きたくなるような説得力や魅力があること、さらに、マスメディアに登場するチャンスを得る運の強さも必要だろう。

　人並み外れた知識、人々が言うことを聞きたくなるような説得力や魅力、そしてチャンスをつかむ運がそろって初めて評論家になれるのかもしれない。

(注1) 人並み外れた：他の人と比べて大きく違う

(注2) マスメディア：新聞・雑誌・テレビ・ラジオなどの大勢の人に向けての情報発信の手段

問1　評論家と医者や先生はどこが違うと書かれているか。
1　評論家はある分野について説明や評価をするが、医者や先生はそうではない。
2　評論家はある分野についての資格が必要だが、医者や先生はそうではない。
3　評論家はある分野についての資格は必要ないが、医者や先生はそうではない。
4　評論家はある分野の知識が必要だが、医者や先生はそうではない。

問2 評論家の多くはどんなことが仕事につながったとあるか。

1 評論家になるためにある分野について特別な興味を持とうとしたこと

2 ある分野について解説や評論をするために、一生懸命学んだこと

3 若いころにある分野についての資格試験を人よりもたくさん受けたこと

4 ずっとある分野に特別な知識を持ち、興味を持って勉強を続けたこと

問3 ①ただ人並み外れた深い知識があれば評論家になれるというものでもないとあるが、どういうことか。

1 深い知識を持つことが、評論家になるためのただ一つの必要なことだ。

2 深い知識を持つことが必要ではないこともたくさんある。

3 深い知識を持つことは必要だが、ほかにも必要なことがある。

4 深い知識を持つことは必要ではなく、ほかに必要なことがある。

問4 本文によると②マスメディアに取り上げられるためには何が必要か。

1 新聞やテレビ関係の会社で働いてマスメディアに出た経験

2 人々を説得しひきつける力があり、マスメディアに出る機会に恵まれる運の強さ

3 マスメディアに出て、人々をひきつけた経験

4 人並み外れた深い知識と、人々を納得させる説得力や魅力

語句・表現

分野　Field, domain　領域

資格試験　Qualifying examination　资格考试

うらやましい　Jealous, envious　羨慕

収入を得る　To obtain income　得到收入

納得する　To accept, agree to　理解，接受

説得力　Persuasiveness　说服力

魅力　Charm, appeal　魅力

運　Good fortune　幸运

☆ 問題50　つぎの文章を読んで、質問に答えなさい。答えは、１・２・３・４から最もよいものを一つえらびなさい。

　夏休みに私はある町を旅行した。そこは私が学生時代に大好きだった作家が生まれ、活躍した町である。いつかはそこをこの目で見てみたいと思っていたのが、やっと実現したのだった。

　もう彼が亡くなって何十年も経っているため、様子はすっかり変わってしまったはずである。それでも彼の小説の舞台となった、緑の美しい町を歩くのは楽しかった。だが、私が社会人になってからは、彼の書いたものをほとんど読まなくなったせいか、それ以上の感激はなく、正直に言うと、少し物足りない気持ちだった。

　ところが、ある記念館に入ったときのことである。そこでは、彼の書いた原稿(注1)や手紙の展示(注2)をしていた。それを見ているうちに、しだいに昔読んだ小説や詩の内容が思い出されてきた。特に、彼の妹が亡くなったときに書かれた、詩の原稿を読んだときには、彼の悲しみが痛いほど近くに感じられたのである。手書きの文字というのは、時間がどんなに流れていても、その人がどんな人だったのか、その人が何を感じていたかを強く表していることに気がついた。

　字の下手な私は、できるだけパソコンを使っていた。だが、それ以来、時には下手でも心をこめて字を書くことで、何かが伝わるのではないかと思いはじめている。

（注1）原稿：本を出したり、発表をしたりするために文章を書いた紙
（注2）展示：ものを並べて見せること

問1　この文章を書いた人はある町を歩いて、どのような気持ちになったか。

１　町に緑が多くてきれいなので、楽しく、満足していた。

２　作家の書いた小説を次々に思い出して、満足していた。

３　作家の小説を読んでから時間が経ち、思ったほど感動しなかった。

４　今は作家のいたころの町と大きく変わってしまい、少し不満だった。

問2　この文章によると、この人は記念館で何を見たか。

１　作家の書いた詩の本や小説の本

２　作家自身が書いた小説の原稿や手紙

３　いろいろな人がこの作家について書いた原稿や手紙

４　作家の妹が書いた詩

問3 それ以来とあるが、どのようなことか。

1　記念館に入ったときから

2　彼の手書きの原稿を見たときから

3　作家の生まれた町に着いたときから

4　パソコンで字を書いていたときから

問4 この文章を書いた人が一番伝えたいことは何か。

1　手書きの文字から伝わるもの

2　字をきれいに書くことの大切さ

3　好きな作家の文章のすばらしさ

4　好きな作家のいた町へ旅行する意味

語句・表現

ある〜　　A certain, some～　某个

活躍する　　To be active　活跃

実現する　　To realize, achieve　实现

舞台　　Setting; stage　故事背景

感激　　Strong emotion　感动

物足りない　　Be lacking, wanting　不满足

心をこめて　　Wholeheartedly, with commitment　精心地

伝わる　　To relate, pass on　传达

⭐ 問題51　つぎの文章は『花屋ダイヤリー』という小説についての紹介である。文章を読んで、質問に答えなさい。答えは、1・2・3・4から最もよいものを一つえらびなさい。

　『花屋ダイヤリー』は一軒の花屋が舞台の小説です。花屋のアルバイト店員と、花を買いに来るさまざまな客との関わりが、ていねいに描かれています。

　作者の山口しずかは2012年に『一人』で小説最優秀賞を取った注目の女性作家です。若者の純粋さを、愛情を持って表現するところに人気があります。

　『花屋ダイヤリー』では、学校にも行かず仕事もしない17歳のユウが主人公(注1)です。何にも興味を持てなかったユウは、小さな花屋でアルバイトを始めます。そこには毎日、1輪だけ花を買いに来るおばあさんや、ゲーム機と交換に花を買いたいと言う小学生など、少し変わった客が次々と現れます。客はみなユウに花を選んでほしいと言います。困ったユウは、どうしてその花を買いたいのか、だれのための花なのかなど、①事情を客にたずねます。

　客と話をするうちに、ユウは人との関係の大切さや働く意味など、いろいろなことを考え、変わりはじめます。何の喜びもない日々を送っていたユウが、働いて人の役に立つ中で明るく強くなっていく様子に、読者は②元気づけられるでしょう。それは作者から読者へのエール(注2)でもあります。また、たくさんの花の名前と花言葉(注3)が紹介されているので、だれかに花を贈るときに役に立つ知識も得られます。

　人間関係に少し疲れているときや目標が見つけられないときに読むと、人が好きになり心が元気になる一冊です。ユウと同年代の人にぜひ読んでほしいです。

(注1)主人公：小説などの中心人物

(注2)エール：スポーツなどの試合で選手を応援するときの声・声援

(注3)花言葉：一つ一つの花に意味を持たせたもの。バラは「愛」など

[問1]　本文によると、山口しずかはどんな人だと書かれているか。
1　若い女性の作家
2　自分のことを小説に書いた人
3　若者に人気がある作家
4　賞を受けたことのある人気の作家

問2 ①事情を客にたずねます。とあるが、なぜか。

1 何にも興味を持てなかったから。

2 1輪だけ花を選ぶのは難しいから。

3 ゲーム機と同じ値段の花がわからないから。

4 客がどの花がいいか選んでほしいと言うから。

問3 ②元気づけられるとあるが、なぜか。

1 学校にも行かず仕事もしなかったユウが変わったことをしたから。

2 学校に行かなかったユウが学校に行くようになったから。

3 何事にも無関心だったユウが明るく強く変わっていったから。

4 仕事をしなかったユウがアルバイトを始めたから。

問4 『花屋ダイヤリー』で作者が読者に一番伝えたいことは何か。

1 人は人の中で働いて変わっていけるということ

2 たくさんの花には花言葉があるということ

3 ユウが何の喜びもない日々を送っていること

4 だれかに花を贈るときに役に立つということ

語句・表現

関わり　Relation, connection　交往

描く　To describe　描写

注目の　～in focus　关注的

純粋さ　Purity　纯真

交換　Exchange　交换

事情　Situation　事情原委

元気づけられる　To be encouraged, be cheered up　受到鼓舞

☆ 問題52　つぎの文章ﾌﾞﾝｼｮｳを読んで、質問に答えなさい。答えは、1・2・3・4から最もよいも
のを一つえらびなさい。

Sマート　（24hオープン）　は近くて便利ﾍﾞﾝﾘ！

6月の

18時〜24時だけ！

お得ﾄｸな割引ﾜﾘﾋﾞｷセール！

セール期間ｷｶﾝ：　2014年　6月2日（月）〜6月28日（土）

＊下の割引券ﾜﾘﾋﾞｷｹﾝは切って、かならず商品ｼｮｳﾋﾝと一緒ｲｯｼｮにレジにお出しください！

＊この広告ｺｳｺｸはお一人様ｻﾏ1枚ﾏｲ限りﾏｲｶｷﾞとさせていただきます。

＊割引券ﾜﾘﾋﾞｷｹﾝ1枚ﾏｲにつき商品ｼｮｳﾋﾝ1個ｺ割引ﾜﾘﾋﾞｷとなります。

＊お店によっては、商品ｼｮｳﾋﾝがない場合ﾊﾞｱｲもあります。

＊割引券ﾜﾘﾋﾞｷｹﾝが利用ﾘﾖｳできるのは、18時〜24時です。

2日（月）〜14日（土）	2日（月）〜14日（土）	15日（日）〜28日（土）	15日（日）〜28日（土）
チョコレート 書かれた価格ｶｶｸより **30円引ﾋﾞき**	ドーナッツ 書かれた価格ｶｶｸより **20円引ﾋﾞき**	アイスクリーム 書かれた価格ｶｶｸより **20円引ﾋﾞき**	ホットコーヒー 書かれた価格ｶｶｸより **30円引ﾋﾞき**

問1 アリさんは6月18日午後10時頃、この広告を1枚持ってコンビニに行った。アイスクリームを2個買った。アイスクリームは100円と書いてあった。いくら払ったか。

1　200円

2　180円

3　160円

4　140円

問2 ドーナッツを安く買いたい。この広告を持って、いつ買いに行けばよいか。

1　6月10日　午前10時ごろ

2　6月12日　午後10時ごろ

3　6月16日　午前8時ごろ

4　6月20日　午後8時ごろ

語句・表現

お得な　A good bargain　合算的

セール期間　Period of a sale　折扣优惠期间

割引券　Discount coupon　打折券

～限り　Restricted to ~　只限用～

商品　Product　商品

価格　Price　价格

～円引き　Discount of ~ yen　便宜～日元

★ 問題53　つぎの文章は求人募集広告である。右の質問に答えなさい。答えは、１・２・３・４から最もよいものを一つえらびなさい。

一緒にすし屋で働きませんか！
アルバイト大募集！

職　　種(注1)：調理の手伝い

勤務時間・給与：①8:00~15:00　時給900円

②15:00~24:00　時給1,000円（時給は経験を考慮(注2)）

＊週2日、1日5時間以上働ける方。

＊曜日、時間は相談に応じます。

＊経験のない方もOK！

＊主婦・学生の方歓迎。（高校生は不可）

少しでも興味ある方はお電話ください！

応募方法：お電話の上、履歴書（写真付）を持って面接にお越しください。

勤務地・連絡先：A市山田町　２−２−１

すしの吉野（山田店）　TEL: 1111-3333

（注1）職種：職業の種類

（注2）考慮：よく考えること

問1 ホンさんは、火・木・金曜日に夕方5時から夜10時まで働くことになった。1週間で給料がいくらもらえるか。

1　9,000円

2　9,500円

3　13,500円

4　15,000円

問2 このすし屋で働ける人はだれか。

1　経験がある主婦。月曜日と火曜日に9時から12時まで働ける。

2　経験がない大学生。水曜日に午後6時から午後11時まで働ける。

3　経験がある高校生。火曜日と木曜日に午後3時から午後9時まで働ける。

4　経験がない大学生。水曜日と土曜日に午後5時から夜10時まで働ける。

語句・表現

募集　Recruitment　招募

勤務　Service, duty　工作

給与　Salary　薪水

時給　Hourly wage　时薪

歓迎　[Be] welcome　欢迎

応募　Application, response [to a recruitment ad]　应聘

履歴書　Résumé, curriculum vitae　简历

面接　Interview　面试

⭐ 問題54　つぎの文章を読んで、質問に答えなさい。答えは、1・2・3・4から最もよいものを一つえらびなさい。

アパート情報サイト「マイハウスネット」（20XX年3月現在）

中山田駅　徒歩3分

アパート	築　10年

家賃　　　　　　30,000円

敷金(注1)／礼金(注2)　　1か月／1か月

ワンルーム　19.84m²

・南向き

・5階建ての2階

・スーパーまで400m

・手数料無料！　契約時には家賃1か月分と
　敷金・礼金各1か月分だけでOK！

・ペットは相談可！

N

浴室
玄関
トイレ
洗濯
収納

洋室
19.84m²

ベランダ

(注1) 敷金：アパートを契約するときに、保証金として大家さんに預けるお金

(注2) 礼金：アパートを契約するときに、お礼として大家さんに支払うお金

問1 契約するときにいくら必要か。

1　3万円

2　3万5千円

3　9万円

4　9万5千円

問2 このアパートの説明として本文の内容と合っているものはどれか。

1　部屋は5階にある。

2　ベランダは南側にある。

3　犬を飼うことはできない。

4　部屋にお風呂がない。

語句・表現

徒歩　On foot, walking　徒步

築　Built in [year]　建造（年数）

家賃　[Apartment] rent　房租

ワンルーム　Single-room residence　单间

～向き　Facing～　朝向～

契約　Contract　合同

玄関　Front entrance　房门

浴室　Washroom, bathroom　浴室

収納　Storage area　储物间

ベランダ　Veranda　阳台

⭐ 問題55　右のページの文章は文化講座の案内パンフレットである。これを読んで下の質問に答えなさい。答えは、１・２・３・４から最もよいものを一つえらびなさい。

問1　右の文章の中の「⑤京都クラス」のクラスに、「文化カフェ」の会員が参加する場合、１回の料金はいくらか。

1　500円

2　1,000円

3　1,500円

4　2,000円

問2　リーさんは４月９日（水）のアラビア語クラスに参加したい。何をすればよいか。

1　４月６日までに、電話して予約する。

2　４月６日までに、ネットで予約する。

3　４月８日までに、みなと市民会館に行って予約する。

4　４月９日に、教室に行って申し込む。

語彙・表現

語学　Study of languages　外语（学习）
情報　Information　信息
交換する　To exchange　交换

「文化カフェ」http://bunkacafe.com

お茶を飲みながらいろいろな国の人と楽しいひととき♪

★語学クラス★

①「日本語」　　　毎週　月曜　　　15:00〜16:30

②「アラビア語」　毎週　水曜　　　19:00〜20:30

③「中国語」　　　第4週の日曜日　14:00〜15:30

★日本文化クラス★

④「お茶クラス」…第4日曜日15:00〜17:00

　茶道を習ったり、和菓子を食べたり、お茶に関係することを学ぶ

⑤「京都クラス」…月1回程度

　京都のお寺や料理、京都についての情報を交換する。

⑥「日本ポップカルチャークラス」…月1回程度

　日本のアニメやJ−ポップなどいろいろな日本文化について学びおしゃべりする。

★イベント★

⑦「世界の料理教室」…年数回

　…いろいろな国の料理を一緒に作って食べます♪

＊　＊　＊　＊　＊　＊　＊　＊　＊　＊　＊　＊　＊　＊　＊　＊　＊　＊　＊

　　　　　☆料金（「文化カフェ」の会員は500円割引）

　　　　　語学クラス　　1回　2,000円

　　　　　日本文化クラス　1回　1,500円

　　　☆定員8名(先着順)

　　　☆申し込み　3日前までにネットで予約

　　　　　→info@bunkacafe.com

　　　☆場所　　みなと市民会館(みなと駅徒歩4分)

⭐ 問題56 右のページはレストランの案内である。これを読んで、下の質問に答えなさい。答えは、1・2・3・4から最もよいものを一つえらびなさい。

問1 チョウさんは、友達と夕食が食べられる店を探している。予算は3,000円以内である。日時は来週の火曜日の19時からである。どの店がよいか。

1 ①

2 ②

3 ③

4 ④

問2 サムさんは、木曜日の昼のできるだけ早い時間に友達と和食が食べたい。何時から食べることができるか。

1 11時

2 11時30分

3 12時

4 12時30分

語句・表現

ふるさと Hometown, home [area] 故乡

さしみ Raw fish, *sashimi* 生鱼片

豊富 Very varied, rich 丰富

個室 Single, private room 包间

食べ放題 All-you-can-eat meal 自助餐

ひがし町　レストラン案内

①オリーブの風

南ヨーロッパのさまざまな国の料理が楽しめる。パーティーにもよい。

[昼]800〜1,500円[夜]2,000〜5,000円

時間：11:00〜14:00　18:00〜24:00

休み：木

②山海

新鮮な魚と野菜を使った日本のふるさとの味。さしみが最高。

[昼]950〜1,500円[夜]3,500〜8,000円

時間：11:30〜14:30　18:00〜22:00

休み：火

③よねやま

てんぷら、すしなど日本料理のメニューが豊富。個室あり。

[昼]1,000〜2,300円[夜]3,800〜8,800円

時間：12:00〜14:00 17:30〜21:30

年中無休

④李安

カニ料理が有名な中華料理店。食べ放題メニューもあり。

[昼]1,000〜1,800円[夜]2,500〜12,000円

時間：11:00〜22:00　17:00〜23:00

休み：火

個室あり。

18:00〜24:00

★ 問題57　つぎの文章は宅配(注1)用のメニューである。右の質問に答えなさい。答えは、1・2・3・4から最もよいものを一つえらびなさい。

レストラン　さくら　　宅配メニュー　　年中無休

日替わり弁当
（全て600円、みそ汁付）

月：ハンバーグ弁当

火：とんかつ弁当

水：からあげ弁当

木：コロッケ弁当

金：焼肉弁当

ごはん

カレーライス	550円
オムライス	600円
親子丼	720円
かつ丼	800円

サラダ

コーンサラダ	200円
ポテトサラダ	230円

飲み物

コーラ	150円
オレンジジュース	150円
緑茶	120円

お食事と一緒にご注文の場合、お飲み物は100円！

ＴＥＬ：5555-8888

受付時間：　9:00～20:30　土日祝は19:30で終了

配達時間：10:30～21:00　（14:00～17:00を除く）　土日祝は20:00で終了

＊お食事お一つでも注文できます！

　1,000円未満のご注文は、1回のお届けにつき、200円いただきます。

＊10個以上の注文は前の日までにご注文ください。

＊インターネットでも注文できます。　http://www.aaa.ccc

（注1）：商品を家に配達すること

問1 シンさんはカレーライスとコーラを宅配で注文した。全部でいくら払わなければならないか。

1   550円＋100円＝650円

2   550円＋150円＝700円

3   550円＋100円＋200円＝850円

4   550円＋150円＋200円＝900円

問2 ホルヘさんは4月13日（日）の昼12時半にお弁当が20個必要である。いつ注文すればよいか。

1   4月11日（金）の午後9時ごろ

2   4月12日（土）の午後6時ごろ

3   4月12日（土）の午後8時ごろ

4   4月13日（日）の午前9時ごろ

語句・表現

年中無休　　[Open] all-year-round　全年不休

日替わり　　Daily special [lunch menu]　每日推荐

〜付　　With, accompanied by 〜　附送〜

注文　　Order　订购

受付　　Order reception　受理

配達　　Delivery　配送

〜未満　　Less than 〜　不到〜

〜以上　　〜and above, of 〜 or more　等于或超过〜

⭐ 問題58　つぎの文章を読んで、質問に答えなさい。答えは、１・２・３・４から最もよいものを一つえらびなさい。

ＮＡＴ携帯電話料金請求書

東京都○○市××町３−５−２	
カン　ヘミ様	

ご利用期間	2014年５月１日〜５月31日
ご請求額	7,800円
お支払い期限	2014年６月30日（月）

お問い合わせ先＊＊＊＊＊＊＊＊＊＊

ＮＡＴ：0800-222-3333

　　　月〜日（年中無休）9:00~20:00

　　　　　　　発行日　2014年　６月３日

お支払い方法のご案内＊＊＊＊＊＊＊＊

●現金でのお支払いの場合

　「振込用紙」を切り取り（注1）、お近くのコンビニまたは銀行・郵便局でお支払いください。

●クレジットカードでのお支払いの場合

　ＮＡＴのウェブサイトからお支払いください。

●銀行口座の振替（注2）手続きをすると、毎月26日に自動的にお振替になります。

（注１）切り取る：切ってその部分を取る。

（注２）振替：口座から自動的にお金が支払われること

カンさんは左のページの手紙を郵便でもらった。銀行の口座を作ったが、郵便局の口座はない。まだクレジットカードも持っていない。

問1 カンさんは何をしなければならないか。

1　ＮＡＴに電話をする。

2　郵便局に行って、口座を作る。

3　コンビニに行って、クレジットカードで払う。

4　銀行かコンビニに行って、現金で払う。

問2 支払いはいつまでにしなければならないか。

1　5月31日

2　6月3日

3　6月26日

4　6月30日

語句・表現

携帯電話　Cellphone, mobile phone　手机

請求額　Invoiced amount　支付金额

支払い期限　Payment deadline　支付截止日

問い合わせ先　Enquiries to:　问讯处

年中無休　[Open] all-year-round　全年不休

発行　To issue　发行

現金　Cash　现金

振込用紙　Transfer payment application form　汇款单

ウェブサイト　Website　网站

銀行口座　Bank account　银行账号

自動的に　Automatically　自动地

⭐ 問題59　右のページの文章は保証書(注1)である。下の質問に答えなさい。答えは、1・2・3・4から最もよいものを一つえらびなさい。

メイさんはテニスのラケットを買いにお店に行った。買った時、お店の人から、ラケットと一緒に右の保証書をもらった。

問1　メイさんのラケットの保証期間はいつまでか。

1　2014年7月31日

2　2014年10月30日

3　2015年1月31日

4　2015年5月31日

問2　保証期間中に以下のことをしたら、ラケットがこわれた。保証してもらえるのはどれか。

1　シャワールームに2日間置いてしまった。

2　テニスコートに忘れたら、その後大雨が降って、ぬれてしまった。

3　友達がラケットの上に座ってしまった。

4　暑い中8時間ボールを打ち続けた。

語句・表現

メーカー　Maker, manufacturer　生产厂商

お買い上げ日　Date of purchase　购买日

無料　Free of charge　免费

修理する　To repair　修理

交換する　To exchange, replace　交换

限る　To limit, restrict　仅限于

保証書（ほしょうしょ）

ご購入（こうにゅう）（注2）日	2014年　　　5月　　1日
メーカー	プレンセス
ラケット名	ショット35
カラー	青

1. 普通（ふつう）の使用状態（じょうたい）において破損（はそん）（注3）などがあった場合（ばあい）は、お買い上げ日から下に書いてある期限（きげん）（保証期間（ほしょうきかん））の間、無料（むりょう）で修理（しゅうり）または交換（こうかん）します。

   ・ピンポンラケット：お買い上げの日から6か月。ただし子ども用は1年間。

   ・バドミントンラケット：お買い上げの日から3か月、ただし子ども用は半年。

   ・テニスラケット：お買い上げの日から9か月。

   ＊日本国内（こくない）でお買い上げのお客様（きゃくさま）に限（かぎ）ります。

2. 次（つぎ）の場合（ばあい）は保証期間中（ほしょうきかんちゅう）でも修理（しゅうり）または交換（こうかん）ができません。

   ・火災（かさい）、地震（じしん）、水害（すいがい）（注4）などによる破損（はそん）。

   ・次（つぎ）のような使用方法（ほうほう）による破損（はそん）。（ラケットの上に重（おも）い物をのせる。ラケットを投（な）げたり物をたたいたりする。ボールや羽根（はね）を打（う）つこと以外のことに使用するなど）

   ・次（つぎ）のような状態（じょうたい）で置（お）いておいたことによる破損（はそん）。（日光（にっこう）の当（あ）たるところや、湿気（しっけ）の多いところに長時間置（お）くなど）

3. 保証書（ほしょうしょ）をなくした場合（ばあい）は、修理（しゅうり）または交換（こうかん）できないことがあります。

   ラケットショップ　ふじ
   東京都（とうきょうと）○○市（し）××町（ちょう）1-2-3
   Tel:　03-8888-7777

（注1）保証書（ほしょうしょ）：買った品物に問題があったら、修理（しゅうり）したり、新しいものにとりかえると書いてある紙

（注2）購入（こうにゅう）：買うこと

（注3）破損（はそん）：こわれたり傷（きず）ついたりすること

（注4）水害（すいがい）：洪水（こうずい）や高波（たかなみ）によって被害（ひがい）を受けること

⭐ 問題60　つぎの文章は、映画館のホームページである。右のページの質問に答えなさい。答えは、1・2・3・4から最もよいものを一つえらびなさい。

A≪上映時間≫

	シネマ1 (50席)	シネマ2 (150席)	シネマ3 (300席)
10:00	10:15　大きな食卓 〜 12:25		
12:00		11:45　猫と一郎 〜 13:30	11:15　風の忍者 〜 14:15
14:00	14:00　大きな食卓 〜 16:10		
16:00		15:15　猫と一郎 〜 17:00	14:30　風の忍者 〜 17:30
18:00	17:15　大きな食卓 〜 19:25		
20:00		19:15　オハナ♡ 〜 21:35	

B≪映画紹介≫

＊「大きな食卓」……15人家族の日常生活。笑いと涙の3年間を追った記録映画。

＊「猫と一郎」……一郎は7歳の少年。メガネをかけると猫と会話ができる！？

＊「風の忍者」……風のように移動する忍者ハンゾー。人気マンガを映画化。

＊「オハナ♡」……ダンスチームの5人が世界のトップを目指す中で、いつしか家族のような関係に。オハナとはハワイの言葉で「家族」の意味。

問1 グェンさんは動物が出てくる映画が見たい。午前中はアルバイトがあるが、午後は時間がある。何時から始まる映画が見られるか。

1　12:25

2　14:00

3　14:30

4　15:15

問2 タンさんは、午後時間ができたので映画を見ることにした。映画館にいられる時間は午後３時から午後６時までの３時間だけである。今日タンさんが、初（はじ）めから終わりまで見ることができる映画は次（つぎ）のうちどれか。

1　大きな食卓（しょくたく）

2　猫（ねこ）と一郎（いちろう）

3　風の忍者（にんじゃ）

4　オハナ♡

語句・表現

ホームページ　Web-page　网页

〜席（せき）　Seating for 〜　〜座位

追（お）う　To follow, chronicle　按照顺序

記録（きろく）　[Film] chronicle　记录

目指（めざ）す　To aim for　以〜为目标

☆　問題61　つぎの文章と右のページのメールを見て、下の質問に答えなさい。答えは、１・
２・３・４から最もよいものを一つえらびなさい。

ウェンさんはある会社に就職したいと思い、その会社の会社説明会にホームページから申し込みを
した。その後、右のページのような添付ファイルがついた確認のメールが届いた。

問1 説明会に行く際、○×駅に何時に着くのが一番よいか。

1　12時35分

2　12時50分

3　13時ちょうど

4　14時半

問2 ウェンさんは説明会の日に具合が悪くなり開始の時間に行けなくなった。どうすればよいか。

1　連絡はせず、参加もしない。

2　会社のホームページの採用案内ページからキャンセルをする。

3　連絡はせず、遅れて参加する。

4　会社の採用担当者に電話をする。

語句・表現

添付ファイル　Attached document　附件

採用　Hiring, recruitment　录用

履歴書　Résumé, curriculum vitae　简历

徒歩　On foot, walking　徒步

時間厳守　Punctuality　严格遵守时间

キャンセル　Cancellation　取消

（株）／株式会社　Joint-stock company, Company Limited, Co., Ltd.　股份公司

筆記用具　Writing instruments　文具

プリントアウト　Printout　打印

来社する　To come to the company　来公司

当社　The company [in question]　我公司

（株）△△社　　会社説明会　予約完了メール
【開催日時】　20xx年12月1日　13:00〜14:30

ウェン・モーリー　様

株式会社△△社、採用担当です。このたびは、説明会にお申し込みいただきありがとうございました。日時や持ち物をもう一度ご確認いただき、ご参加くださいますよう、お願いいたします。

「会社説明会」

● 持ち物
　・筆記用具
　・履歴書（写真をはってください。）
　・この予約完了メールをプリントアウトしたもの
● 服装
　スーツ
● 会場
　△△社本社　〒111-2222　東京都○○市□□2-3-4　（株）△△社第一ビル
● 交通機関
　JR中央線・総武線、東京メトロ東西線　「○×駅」徒歩10分
● 受付場所
　ビル1階の（株）△△社本社受付
● 受付開始時間
　開始時間の10分前〜
　＊早くご来社いただいてもご案内ができません。
　　また、開始時刻を過ぎてからの参加はできません。

＜注意事項＞
＊当日は時間厳守でお願いいたします。
＊前日までに参加日の変更がある場合は、当社ホームページの採用案内ページからキャンセル
　の手続きをして、あらためて申し込みをしてください。
＊当日の遅刻や欠席は直接当社にご連絡ください。（採用担当：03-4567-8901）

株式会社△△社　採用担当
　Mail:　saiyo＠△△.ne.jp

⭐ **問題62**　つぎの文章はメールマガジン(注1)である。文章を読んで、質問に答えなさい。答えは、１・２・３・４から最もよいものを一つえらびなさい。

★留学生の生活応援メールマガジン　★

★　20XX年１月号　★

新年あけましておめでとうございます！

日本のお正月はいかがですか？　留学生の生活応援メルマガは、今年もみなさんの役に立つ情報をどんどん紹介しますので、どうぞよろしくお願いいたします！

目次　１．ニュース………新年会・不用品交換
　　　２．特集…………「みんなの節約方法」

◆１．ニュース

新年会　　餅つき、おせち料理など、日本のお正月を楽しみましょう。

　　日時：１月15日（土）　13:00～17:00
　　場所：○○市民会館集会室
　　参加申し込みはこちら　①http://ryugakuoen.or.jp/shinnen.htm

不用品交換
　家具、電気製品など、欲しいものやいらないものを書いておくと、だれかと交換できるかもしれません。
交換ページはこちら　http://ryugakuoen.or.jp/koukan.htm

◆２．特集「みんなの節約方法」

電気代を30％カットする方法、安いお店の情報など、上手に節約しながら日本での生活を楽しむ留学生のアイディアがたくさん！ぜひ参考にしてください！

特集ページはこちら　http://ryugakuoen.or.jp/tokushu.htm

◆バックナンバーはこちら　http://ryugakuoen.or.jp/menu-mmag.htm
◆このメルマガは配信専用です。このアドレスに返信はできません。
　ご意見、お問い合わせはこちら　②http://ryugakuoen.or.jp/ad/mail.htm
◆配信停止はこちら　③http://ryugakuoen.or.jp/mmag.resign.htm

発行人：　　NPO留学生の生活応援グループ
編集人：　　メルマガ委員会　　e-mail：　④×××@ryuugakuoen.or.jp

（注1）メールマガジン：メールで送られてくる情報

問1 新年会に参加したい場合、どうすればよいと書いてあるか。

1 連絡はしないで、直接1月15日に○○市民会館集会室へ行く。

2 ①のURLをクリックして手続きをする。

3 ②のURLをクリックして手続きをする。

4 ④のメールアドレスにメールを送る。

問2 このメールマガジンをもう受け取りたくない。どうすればよいと書いてあるか。

1 このメールマガジンに返信をして伝える。

2 ②のURLをクリックして手続きをする。

3 ③のURLをクリックして手続きをする。

4 ④のメールアドレスにメールを送る。

語句・表現

メルマガ＝メールマガジン

不用品　Unneeded, unwanted article　不使用的东西

特集　Special feature [in magazine]　专题

節約　Saving　节约

餅つき　Pounding steamed rice into *mochi*　捣年糕

おせち料理　New Year's dishes　年节饭

カットする　Cut, reduce　节省

配信　Send out, transmit　发送文件

～専用　Exclusively for ~　～专用

返信　Reply　回信

クリックする　To click　点击

☆ 問題63　つぎの文章を読んで、質問に答えなさい。答えは、１・２・３・４から最もよいものを一つえらびなさい。

インターネットで買った商品が不良品だったので、チンさんが返品(注1)の希望をメールで連絡したら、以下のような返事が来た。

チン・スーチー様

いつも○×ショップをご利用いただきまして、ありがとうございます。担当の木村と申します。

このたびは、先日ご購入いただきました商品【ABC電気ポット】に不備(注2)がございましたこと、大変申し訳ありませんでした。大変ご面倒ではございますが、商品【ABC電気ポット】を、商品着払い(注3)にて、ご返送くださいますようお願いいたします。　　　　　　　　　　　5

●ご返送先住所　　〒123-4567　東京都○○区○○町１－２－３

　　　　　　　株式会社　○×ショップ

　　　　　　　Tel：　03-1234-5678

商品が到着しましたら、ご返金(注4)の対応をさせていただきます。

つきましては、お客様のお振込先口座を教えていただけますでしょうか。下の項目にご入力の　　10
上、このメールにご返信いただきますようお願いいたします。

- -

　●銀行名　：　　　　　　　　　　　●支店名：

　●口座番号：　　　　　　　　　　　●ご名義人様：

- -

このたびはお客様にご迷惑をおかけしてしまい、大変申し訳ありませんでした。

またのご利用を心よりお待ちしております。　　　　　　　　　　　　　　　　　　　15

- -

○×ショップ　　木村　○○

URL：http://shop.marubatsu.com

Tel：03-1234-5678

e-mail：×××@marubatsu.com

(注1)返品：買った品物を返すこと

(注2)不備：よくない、不完全なこと

(注3)着払い：配達の料金を、荷物などを受け取った方が払うこと

(注4)返金：お金を返すこと

問1 買った商品をどうしてほしいと言っているか。

1 そのまま直して使う。

2 使わないで捨てる。

3 ○×ショップに送り、払った送料をメールで連絡する。

4 着払いで、○×ショップに送る。

問2 お金はどのように戻ってくるか。

1 商品を送り返さなくても、銀行の口座情報を教えるとお金が振り込まれる。

2 商品を送ったことをメールすると、お金が振り込まれる。

3 商品が○×ショップに届いたら、お金が郵便で送られてくる。

4 商品が○×ショップに届いたら、伝えておいた口座にお金が振り込まれる。

語句・表現

不良品　Defective item　残次品

担当　Being in charge, responsible　负责人

面倒な　Bothersome　麻烦的

返送する　To send back, return　寄回

到着する　To arrive, get to　到达

対応をする　To respond to, deal with　处理

つきましては　In that regard, in that connection　因此

振込先口座　Bank account of the payee　汇款账户

項目　Item　项目

返信する　To reply　回信

名義　Name, appellation　用户名

⭐ 問題64　つぎの文章と右のページのグラフを見て、下の質問に答えなさい。答えは、1・
2・3・4から最もよいものを一つえらびなさい。

右のグラフは、好きな動物について日本人3,600人を対象に行った調査の結果である。1983年
と2007年の調査結果のうち、上位1位から8位までを示している。

問1 1983年と2007年で一番大きな差があらわれた動物はどれか。

1　犬

2　パンダ

3　馬

4　うさぎ

問2 グラフについて正しく述べているのはどれか。

1　ねこは1983年と2007年で大きな差がある。

2　うさぎは2007年の調査では3位である。

3　パンダは1983年の調査では1位である。

4　コアラは2007年の調査では1983年より減少している。

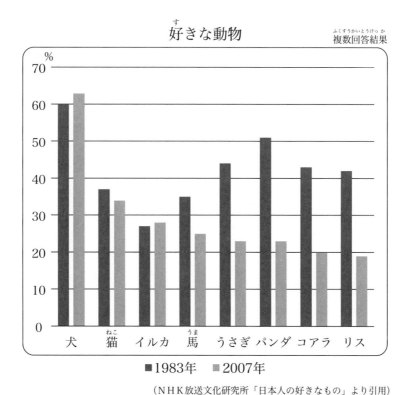

好_すきな動物

複数回答結果_{ふくすうかいとうけっか}

■1983年　■2007年

（ＮＨＫ放送文化研究所「日本人の好きなもの」より引用）

語句・表現

全国_{ぜんこく}　Whole country　全国

対象_{たいしょう}　[As] subjects, target　对象

調査_{ちょうさ}　Investigation, survey　调查

結果_{けっか}　Result　结果

上位_{じょうい}　The top ~, the leading ~　排位靠前

示す_{しめ}　To indicate　显示

差_さ　Difference　差异

複数回答_{ふくすうかいとう}　Multiple responses　多项选择题

<ruby>模<rt>も</rt>擬<rt>ぎ</rt>試<rt>し</rt>験<rt>けん</rt></ruby>

問題1　つぎの文章を読んで、質問に答えなさい。答えは、1・2・3・4から最もよいものを一つえらびなさい。

　買い物のしかたについてアンケートを取るとき、年代別に取ることが多かったが、今、少し変わってきている。ライフコース別に取ることが増えてきたのだ。ライフコースとは人生の道、つまり個人が生まれてからどんな道を歩いてきたか、ということである。

　たとえば、40代女性といってもライフコースはさまざまで、①就職→独身→仕事継続、②就職→結婚→退職、③就職→結婚→仕事継続、④就職→結婚→仕事継続→出産→退職などがある。このようにして調査をすると、買い物のしかたや考え方などがよりはっきりとわかるようになった。

1 　なぜライフコース別にアンケートをとるのか。
1　最近は以前よりも女性の一生が長くなったから。
2　女性が人によって違う道を歩いているから。
3　女性が就職することがあたりまえになったから。
4　女性が仕事を続けることが難しくなったから。

問題2　つぎの文章を読んで、質問に答えなさい。答えは、1・2・3・4から最もよいものを一つえらびなさい。

　体重をコントロールするためには食事と運動のバランスを考える必要があります。カロリーをとりすぎないだけでなく、適度な運動をすることが大切です。

　しかし、わざわざ運動をするために時間を作るのが難しい人も少なくないでしょう。このような人でも、適度な運動を生活の中に取り入れることは可能です。例えば、エレベーターを使わずに階段を使ったり、歩くときにいつもより大きな歩幅(注1)にするなど、できることはたくさんあるのです。　5

(注1) 歩幅：歩くときの一歩の幅

2　この文章で一番言いたいことは何か。

1　体重を管理するためには、特別な運動をしなければならない。

2　体重を減らすためには、運動より食事に気を付けなければならない。

3　特別な時間を作らなくても、運動する方法はたくさんある。

4　生活の中で運動するためには、特別に時間を取る必要がある。

問題3　つぎの文章を読んで、質問に答えなさい。答えは、1・2・3・4から最もよいものを一つえらびなさい。

　結婚について、ある調査では5年ごとに日本人に質問をしている。「人は結婚するのが当たり前だ（するのが当然）」「必ずしも結婚する必要はない（しなくてもよい）」の2つの意見のうち、どちらに近いかを選んでもらった。それによると、1993年には「するのが当然」と考える人より、「しなくてもよい」と考える人がすでに多かったが、1998年にはその差が広がり、その後は変化がないという結果になっている。

（NHK放送文化研究所編（2010）『現代日本人の意識構造［第7版］』NHK出版、p.22）

3 日本人の結婚に対する考え方について合っているものはどれか。

1　「しなくてもよい」の割合は、1998年に「するのが当然」の割合を上回った。

2　現在、「するのが当然」という人より、「しなくてもよい」という人が多い。

3　「しなくてもよい」と「するのが当然」の割合の差は、広がる一方だ。

4　1993年からずっと「しなくてもよい」の割合は変わっていない。

問題4　つぎの文章を読んで、質問に答えなさい。答えは、1・2・3・4から最もよいものを一つえらびなさい。

フラット富士にお住まいのみなさま

近所の方から、深夜の騒音について苦情がありました。

つきましては、以下のことにご注意ください。

・夜11時以降の階段の上り下り・ドアの開閉・ゴミ出しなどは、もう少し静かにしていただくようお願いします。　　　　　　　　　　　　　　　　　　　　　　　　　　　　5

・夜11時以降は、入り口・通路・階段などで話しながら出入りをする、立ち話をするのはご遠慮ください。

・深夜は声や音が外に大きく聞こえますので、部屋の中でお話をしたり音楽を聞いたりするときは、窓やドアを閉めてください。

ご理解とご協力をお願いいたします。　　　　　　　　　　　　　　　　　　　　　　　10

フラット富士　管理人

4　フラット富士に住んでいる人が夜の11時過ぎにしてもいいことはどれか。

1　通路で友達と話をする。

2　静かにゴミ出しをする。

3　窓を開けて部屋で音楽を聞く。

4　携帯電話で話をしながら階段を上る。

問題5　つぎの文章を読んで、質問に答えなさい。答えは、1・2・3・4から最もよいものを一つえらびなさい。

「やきそば」や「うどん」などの安くて日常生活でよく食べられている料理、これをB級グルメと呼んでいる。最近では、もともとその地域だけで食べられていたB級グルメを集めて、どれが一番おいしいかを決める全国大会が開かれるようになった。そこでよい成績をあげて町のB級グルメが有名になると、その料理を食べるために多くの観光客が<u>その町</u>にやって来る。それによって飲食店が人を雇うようになる。さらに、お客は食べるだけでなく、その地域の観光地にも寄るようになる。その結果、活気が出て(注1)きた町も少なくない。

　地方の町を経済的に活気づけようとする場合、これまでは企業を呼び、工場を造ってもらうとか、観光のための建物を建てて客を集めるようなことをしてきたが、多額の金を使ってもうまくいかないことが多かった。B級グルメは、食べ物を作るだけでお金はあまりかからないので、今、注目されている。

(注1)活気が出る：生き生きとして、元気になる

5 その町とはどの町か。

1 「やきそば」と「うどん」を作っている町

2 B級グルメを作っているそれぞれの町

3 B級グルメの全国大会を開いている町

4 B級グルメの全国大会でよい成績をあげた町

6 町に活気が出てきたのはなぜか。

1 B級グルメのおかげで飲食店で働く人が増え、観光地も収入が増えるから。

2 B級グルメのおかげで多くの人が来て、そこに住み、働くようになるから。

3 B級グルメを作るために企業が来て、工場を造るから。

4 B級グルメを食べにきた観光客のための建物を建てるから。

7 この文章で伝えたいことは何か。

1 B級グルメは安くておいしく、観光客もそれを作って楽しむことができる。

2 B級グルメは安くておいしいだけでなく、町を活気づけるのに効果がある。

3 B級グルメの大会でよい成績をあげるため、人を雇う町が増えてきた。

4 工場や飲食店を建てるなど、B級グルメのためにお金を使えば町に活気が出る。

問題6　つぎの文章を読んで、質問に答えなさい。答えは、1・2・3・4から最もよいものを一つえらびなさい。

　日本語にはたくさんのカタカナ語があり、それはどんどん増えている。最近は仕事をカタカナ語で言う人もよくみかける。特に最近できた新しい仕事にはカタカナ語が多い。コンピューターのプログラムを作る「プログラマー」や、つめにきれいな色やかざりをつける「ネイリスト」などがそうである。

　また、昔からあった仕事だが、最近になってカタカナ語で呼ぶようになったものもある。例えば、ダンスなどの教師を「インストラクター」、芸術家を「アーティスト」、運動選手を「アスリート」などと呼ぶ。どれも昔の言い方よりもカタカナ語で言ったほうが、特別な感じや新しい感じがする。

　自己紹介のとき、仕事をカタカナの名前で言うと、ちょっといい仕事をしているように聞こえて、気持ちがよさそうだ。そのようなことも仕事をカタカナ語で言う人が増える理由なのだろう。

8 「ネイリスト」と同じ性質のカタカナの仕事名は次のどれか。

1 日本料理ではなく、西洋料理を作る人を「コック」と呼ぶ。

2 映画に出る人を「ムービースター」と呼ぶ。

3 病院の先生を「ドクター」と呼ぶ。

4 ウェブサイトのデザインをする人を「ウェブデザイナー」と呼ぶ。

9 そのようなこととあるが、どういうことか。

1 仕事の名前にカタカナ語を使う人が増えていること

2 カタカナ語を使うと特別な感じがして気持ちがいいこと

3 自己紹介や誰かを紹介するといいということ

4 新しい仕事にカタカナ語の名前がつけられること

10 この文章のテーマは何か。

1 カタカナ語の増加

2 カタカナ語の仕事の名前

3 新しい仕事とカタカナ語

4 昔からあった仕事とカタカナ語

問題7　つぎの文章を読んで、質問に答えなさい。答えは、1・2・3・4から最もよいものを一つえらびなさい。

　私は留学生だが、日本の小さな事務所でアルバイトをしている。先日、夏休みの旅行から帰ってきた同僚が、おみやげのお菓子を全員に配っていた。私も一つもらった。北海道と書かれた小さい袋にチョコレートが二つ入っていた。

　私はその人とほとんど話したこともなかったので、急におみやげをもらってびっくりした。私の国では仲のいい人にしかおみやげを渡さない。しかし、となりの人に聞くと「①それは普通のことだよ。」と言っていた。日本では休みを取ってどこかへ行った場合など、職場のみんなにおみやげを配る習慣があるそうだ。全員に配れるように、ちゃんと数を数えておみやげを選ぶのだという。

　よく見ていると、このちょっとしたおみやげを配ることには、いろいろとよい効果があるようだ。おみやげを渡すことで、休みの間仕事を代わってくれた人に感謝の気持ちを表すことができる。また、みんなに配ることで、職場に同じ仲間だという気持ちが生まれる。さらに、おみやげを渡したときに、「あ、○○へ行ったんですね。」などと②言われて、今まで話したことのない人と親しく話すきっかけにもなる。ちょっとしたお菓子が職場の雰囲気づくりに役立っているのだ。

　私も今度国へ帰ったら、おみやげを買ってきてみんなに配ろう。もしかすると、③気になっていたあの人と話をするチャンスが生まれるかもしれない。

11 ①それはとは何を指すか。

1 夏休みに旅行に行くこと

2 仲のいい人にだけおみやげを配ること

3 会社でみんなでお菓子を食べること

4 旅行から帰ったらおみやげをみんなに配ること

12 ②言われてとあるが、だれに言われたのか。

1 おみやげをあげた人

2 おみやげをもらった人

3 仕事を代わってもらった人

4 この文章を書いた人

13 この文章を書いている人の国のおみやげの習慣はどんなものか。

1 仕事を代わってくれた人にだけあげる。

2 職場の人全員にあげる。

3 仲のいい人にだけあげる。

4 職場の人にはあげない。

14 ③気になっていたあの人とはだれを指すか。

1 毎日よく話をする好きな人

2 まだ話をしたことがない好きな人

3 毎日話をするあまり好きじゃない人

4 ほかの会社の好きじゃない人

問題8　右のページの文章は、求人広告である。下の質問に答えなさい。答えは、1・2・3・4から最もよいものを一つえらびなさい。

15 ジョンさん（17歳）はアルバイトを探している。午後か夜、働きたい。ジョンさんがこのハンバーガーショップで働ける曜日は、次のうちどれか。

1　月曜日と木曜日

2　水曜日と土曜日

3　木曜日と日曜日

4　水曜日と日曜日

16 リーさん（20歳）はアルバイトを探している。リーさんは日本語学校で、月曜から金曜の午前中勉強している。夜は勉強したいし、日曜日は休みたいのでアルバイトをしたくないと思っている。リーさんがこのハンバーガーショップで働けるのは次のうちどれか。

1　火曜の13:00〜17:00と金曜の17:00〜24:00

2　木曜の13:00〜17:00と日曜の13:00〜17:00

3　木曜の13:00〜17:00と土曜の8:00〜13:00

4　火曜の13:00〜17:00と土曜の13:00〜17:00

ハンバーガーショップ　スタッフ募集！

【仕事】レジ、そうじなど

時間	勤務日	時給
①8:00~13:00	水・土	900円
②13:00~17:00	木・日	高校生850円
③22:00~翌2:00	月~土	1,150円

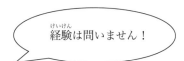

経験は問いません！

＊時間・曜日はお気軽にご相談ください。

【資格】週2日以上勤務　③は18歳以上

【待遇】交通費支給

＊制服貸します！　＊自転車通勤ＯＫ！　＊研修(注1)期間3か月あり

【応募方法】お気軽に電話ください。　面接には履歴書(注2)(写真付)をご持参ください。

ハンバーガーショップ　サントス
【問い合わせ】　111-2222-3333

(注1)研修：仕事をおぼえるための勉強や実習

(注2)履歴書：卒業した学校や経験した仕事を書いたもの

著者

田代ひとみ
　　東京外国語大学留学生日本語教育センター・明治大学・横浜国立大学　非常勤講師

宮田聖子
　　東京工業大学留学生センター　非常勤講師

荒巻朋子
　　青山学院大学　非常勤講師

翻訳

英語　Ian Channing
中国語　鄭文全

イラスト

柴野和香

装丁・本文デザイン

糟谷一穂

新完全マスター読解　日本語能力試験N3

2014年12月17日　初版第1刷発行
2017年 7 月21日　第 5 刷 発 行

著 者　　田代ひとみ　宮田聖子　荒巻朋子
発行者　　藤嵜政子
発 行　　株式会社スリーエーネットワーク
　　　　　〒102-0083　東京都千代田区麹町3丁目4番
　　　　　　　　　　　トラスティ麹町ビル2F
　　　　　電話　営業　03(5275)2722
　　　　　　　　編集　03(5275)2725
　　　　　http://www.3anet.co.jp/
印 刷　　倉敷印刷株式会社

ISBN978-4-88319-671-5　C0081

新完全マスター **読解**

日本語能力試験 **N3**

別冊（べっさつ）

解答（かいとう）と解説（かいせつ）

スリーエーネットワーク

実力養成編

☆ 問題1

日本語にはさまざまな文体（「です・ます体」「だ体」「である体」など）があることについて書かれた文章である。

1：正解

2：中級の日本語では、書き言葉を学ぶことも増えてくる。（6行目）

3：話すときと書くときとで文体が違う。（4行目）

4：日本語の話し言葉ではなく、書き言葉に、「です・ます体」「だ体」「である体」の文体がある。

☑ 練習1

①着るのではないでしょうか　②使いわけます

③勉強してきました　④読みやすくなるでしょう

☑ 練習2

①である　②ではありません　③ではありません　④ではありませんでした

⑤くありません・くないです　⑥ません　⑦ませんでした　⑧でしょう　⑨だろう

⑩のです　⑪のでしょうか　⑫ましょう　⑬います　⑭ではありませんか・ではないですか

⑮なければなりません　⑯わけではありません　⑰です　⑱である

☆ 問題2

リサイクルセンターに見学に行ったことを報告した文章である。

1：到着（2行目）後、「センター長にあいさつする」（3行目）とある。

2：家具の展示、販売は行っているが、修理はしていない。（6行目）

3：正解（7行目）

4：駅前に集合した。（2行目）

☑ 練習1

A：エ　B：ア　C：イ　D：オ

☑ 練習2

①きれいに　②（電車などを）降りる

③（学校などから）いつもより早く帰る／（学校などを）早く出る　④帰宅する　⑤確認する

⑥直後に

⭐ 問題3

日本に資源が少ないことと、日本の国民性や技術力の関係について書かれた文章である。

1：よい製品を輸入しているのではなく、輸出している。（4～5行目）

2：「マイナスであるように見える」（7行目）とはあるが、不幸だとは書かれていない。

3：正解（8行目）

4：資源が少ないので輸出していない。（3～4行目）

🔳 練習

1：ウ　2：イ　3：ア　4：オ　5：エ

⭐ 問題4

最悪だと思った朝の出来事が書かれた文章である。

理由を探す。9行目に「無駄な心配～」と書かれている。「無駄な心配」の内容は第1段落に書かれている。

1：正解

2：寝坊したのは日曜日である。（7行目）

3：日曜日なので、怒られない。（8行目）

4：日曜日で（7行目）、会社に行かなくてもよいので、遅刻していない。

🔳 練習

1：③コ　④イ　⑤ク

2：⑥シ　⑦ケ　⑧エ　⑨オ　⑩カ

⭐ 問題5

ペットがかわいい理由について書かれた文章である。

1：正解（7行目）

2：「子どものように大切にされ（4行目）」ているが、「大切にしなければならない」とは書かれていない。

3：「家族の一員として扱われる（1行目）」が、「子ども以上に大切にされている」とは書かれていない。

4：「（ペットが）子どものように大切にされるようになっている（4行目）」と書かれているが、かわいがるのをやめたほうがいいとは書かれていない。

c

（解答例）

第1段落：ペットは今では家族の一員として扱われることが多い。

第2段落：ペットは純粋な心のまま飼い主をしたってくるので、かわいくてしかたがない存在に
なっている。

⭐ 問題6

席を譲ろうとする人の気持ちについて書かれた文章である。

6行目：だから、もし［この文章を読んでいる人が］［若者に］席を譲られたら、

「その必要はない」と思っても、素直に座り、

笑って［若者に］「ありがとう」と答えてあげてほしいと

［私（＝この文章を書いた人）は］思います。

4：正解

1：（　①　）が聞いてみる　（　③　）が聞かれる

2：（　③　）が断られた　（　②　）が断った

3：（　③　）が（　②　）に譲ろうという気持ちになる

⭐ 問題7

常用漢字が増えたことについて書かれた文章である。

理由を探す。第2段落に書かれている。

1：「（外国人の中には）漢字が苦手な人もいるため、常用漢字を減らすべきだという意見もある」
（9〜10行目）とある。

2：漢字で書いたほうがわかりやすいとは書かれていない。

3：メールを使う人が増えたのではなく、パソコンや携帯電話などの情報機器で簡単に漢字が表記
できるようになったため漢字の使用が増えた（5〜6行目）ことが理由である。

4：正解

練習1

そこで、日本では1981年にふだん使う漢字を1945字に決め、／これを常用漢字と呼んでいた。

練習2

1：[手で書くのが難しかった]漢字　2：[常用漢字を減らすべきだという]意見

☆ 問題8

片付けのやり方について書かれた文章である。

1：引き出しをきれいにするのは例である。

2：元にあった場所にものを「しまう（8行目）」と書いてあるが、「使ったもの」をしまうとは書かれていない。

3：正解（いらないものを捨てること＝整理　整理が8割）

4：ものを使いやすいように置くことは、「整頓」。整頓は2割でしかない。

練習

A：片づけること（「片づける」（動詞）と似ている）

B：いらないものを捨てること

C：使いやすいように置くこと

　（BもCもその後の文に説明がある。「〜は〜ことを意味します。」）

D：ものをそれぞれ決められた場所に置くこと

　（「配置」は「置」があるので、「置く」と同じような意味）

E：終わる（「終了」には「終」があるので、「終わる」と同じような意味）

☆ 問題9

「よい買い物」とは何かについて書かれた文章である。

一番言いたいことは4〜8行目に書かれている。

1：「これ（安くてよい）以外の理由で『よい買い物をした』と思える」とある。（4〜5行目）

2：「よさ」以外の理由でも、「よい買い物をした」と思える商品もある。（4〜5行目）

3：正解

4：悪くてもよい買い物をしたと思えるとは書かれていない。

練習

1：b　2：b　3：a

⭐ 問題10

動かなかった古い柱時計が急に動き出したことについて書かれた文章である。

理由を探す。第3段落に書かれている。

1：正解

2：母がラジオを聞いていたとは書かれていない。

3：母が父の使っていた時計を動かしていたとは書かれていない。

4：父の時計が止まっていたことを不思議に思ったのではなく、止まっていたはずの時計が鳴ったから、不思議に思った。

🏁 練習

①a 「ところが」があるときは、意外なことを言う文が続く。

②b 「まさか」があるときは、何かが起きないだろうという気持ちを表す文が続く。

③a 「そこで」があるときは、問題などを解決する行動の文が続くことが多い。

⭐ 問題11

コーヒーに含まれるポリフェノールという物質と活性酸素の関係について書かれた文章である。

4行目の「これ」はこの前に書かれている、「活性酸素」を指すので、活性酸素はメラニンを増やす物質ということになる。

1：しみをできにくくするのではなく、できやすくする物質である。（4〜5行目）

2：活性酸素がポリフェノールを増やすのではなく、ポリフェノールが活性酸素の働きを小さくする。（5〜6行目）

3：正解（5行目）

4：コーヒーの中に多く含まれるのはポリフェノールである。（5〜6行目）

🏁 練習

1：しみができにくいという　2：リコピン　3：「地球は青かった。」

⭐ 問題12

冷房の使い方について書かれた文章である。

第4段落に書かれている。

1：どんどん使用すべきだとは書かれていない。（段落D）

2：10℃以上の温度差があると、快適でほっとするとは書かれていない。

3：正解（段落D）

4：使わないほうがいいとは書かれていない。

🟨 練習1

A：a　B：b　C：a　D：b

🟨 練習2

d

☆ 問題13

あるレストランへ行ったときの出来事が書かれた文章である。
よい・悪い評価の言葉や表現に注意する。第3段落では悪い評価の言葉が書かれている。
1：料理がおいしかったとは書かれていない。
2：正解
3：集団の話を楽しめたとは書かれていない。
4：集団と話をしたとは書かれていない。

🟨 練習

1：＋　2：＋　3：－　4：－
5：＋　6：－　7：－　8：＋

☆ 問題14

佐藤さんから仲がいいリンさんへのメールである。食事に誘っている。
一番伝えたいことは6〜8行目に書かれている。
1：「何とか元気にやってます」というのはあいさつで、一番伝えたいことではない。
2：「忙しかったが、少し暇になった」というのは、近況報告で、一番伝えたいことではない。
3：正解
4：メールがほしいのは、久しぶりだからではない。

☆ 問題15

高木まなみさんから知り合いのチャン・ジユンさんへの手紙である。手紙の目的は9〜12行目に書かれている。
1：正解
2：本を貸してあげるのではなく、あげると言っている。（10〜11行目）
3：子どもに本をあげるのではなく、チャンさんの仕事に役立つよう、本をあげると言っている。
（11〜12行目）
4：本を受け取りに来てほしいのではなく、別便で送ったと言っている。（9〜10行目）

☆ 問題16

故障したコピー機に貼ってあるメモである。

問いの文を読み、本文を見る。

1：20枚以上なので、第一事務室のコピーは使えない。（6～7行目）

2：第二事務室のコピー機はＡ３サイズが取れない。（8行目）

3：正解

4：コピー機が直るのは午後か、それより後になるかもしれないので、10時の会議には間に合わない。（3行目）

☆ 問題17

親子丼という料理の作り方が書かれた文章である。

問い

1．だし汁と調味料を入れて、火にかけると書かれている。（ 作り方 2.）

2．沸騰したら、とり肉を入れると書かれている。（ 作り方 3.）

3．とり肉が煮えたら、たまごを入れると書かれている。（ 作り方 4.）

4．正解

☆ 問題18

電車で化粧をすることについて書かれた文章である。

電車の中で化粧をすべきではないと言っている理由は、第3段落に書かれている。

1：正解

2：化粧が周りの人に迷惑をかけるとは書かれていない。

3：これから会う人に失礼だとは書かれていない。

4：化粧の時間の節約がはずかしいとは書かれていない。

☆ 問題19

避難訓練の時に使う「おかしも」という言葉について書かれた文章である。

問1

「おかしも」の説明は3行目～5行目に書かれている。

1：避難訓練の言葉で、「お菓子」とは関係ない。

2：正解

3：校庭に避難することではなく、避難するときに使う言葉である。

4：冷静に行動することではなく、避難するときに使う言葉である。

「なぜか」とあるので、理由を探す。下線部の前に理由が書かれている。

１：毎日ではなく、避難訓練のときに使う言葉である。

２：正解

３：工夫して考えた言葉だから知っているのではなく、何度も聞くので知っている。

４：お菓子とは関係なく、避難訓練のときに何度も聞くので知っている。

☆ 問題20

和菓子と日本人の季節の楽しみ方について書かれた文章である。

問1

「それはとてもおもしろい。」とあるので、「それ」が何を指しているかを探す。この文の前には「日本では季節が生活のいろいろな面に影響している。」とある。

３：正解

問2

和菓子屋に入って探しているので、和菓子屋にある「あの赤い花」が何を指しているかを探す。6行目に「赤い椿の花を表現したお菓子」とある。

２：正解

問3

筆者は2月に椿の和菓子を、3月の桜の時期に桜の和菓子を食べて、季節が変わったことに気がついた。そして、日本人の季節の楽しみ方がわかったと言っている。

４：正解

☆ 問題21

バスの1日乗車券と、博物館と美術館の共通入場券を一緒に買うと安くなるという案内である。値段と発売場所を見る。バス乗車券700円＋○○市歴史博物館1,000円＋現代美術館900円＝2,600円だが、セットで買うと2,200円である。

３：正解

☆ 問題22

テニス教室の生徒を募集する広告である。

問1

条件：ローラさんが通えるのは火曜日か金曜日、または、月・水・木の16:05より後の初級クラ

ス。そのクラスはdとfである。

3：正解

問2

「申し込み方法」「対象」「定員」のところを見る。

1：「対象」にA市在勤・在学とあるので、A市に住んでいなくても、働いている人や学校に通う人も申し込める。

2：「定員」のところに、定員になったらしめきりと書かれている。「必ず」ではない。

3：抽選とは書かれていない。

4：正解。(「申し込み方法」に、一人1枚はがきを送ると書かれている)。

☆ 問題23

映画上映会のお知らせである。

条件：「5歳の子どもといっしょ」「子ども向けのアニメ」なので、「対象・定員・申込方法」「内容」のところを見る。児童(こども)が対象のアニメは「④ホヨヨンと楽しいおともだち」である。「②ドキドキマシンをさがせ」は「出演：小林ゆうき・森雪菜」とあり、アニメではない。

4：正解

☆ 問題24

ミニコンサートの案内である。「お願い」のところを見る。

1：「ビデオ撮影はビデオ席でお願いします」(お願いの3つ目)とあり、撮ってもよい。

2：「上演中のフラッシュ撮影はご遠慮ください。」(お願いの2つ目)とあるが、フラッシュなしの写真を撮ることはかまわない。

3：小さい子供は他の人の迷惑にならないように注意する必要があるが、一緒に行ってもかまわない。(お願いの4つ目)

4：正解

☆ 問題25

エレベーターの運転が止まるというお知らせである。

問いの1～4の文を読み、それぞれどこに情報があるか探す。

1：点検の時間は8:00～10:00、22:00～24:00(1．点検予定日時の2つ目)なので、使える時間もある。

2：南館は9月に点検予定工事がある。(2．ご注意の3つ目)

3：正解

4：△は8:00から12:00までは点検を行わないとあるので、使える時間もある。

⭐ 問題26

薬の袋に書かれた飲み方の説明である。

問 1

「ピンクの錠剤」と「白のカプセル」のところを見る。

1：それぞれ1錠ずつ飲むのではない。ピンクの錠剤は2錠飲む。また、昼食後は飲まない。

2：それぞれ2錠ずつ飲むのではない。白のカプセルは1錠飲む。また、ピンクの錠剤は昼食後は飲まない。

3：白のカプセルは3錠ではなく、1錠飲む。

4：正解

問 2

次に薬を飲むのは昼食後である。

1：ピンクの錠剤は昼食後に飲まない。

2：ピンクの錠剤は昼食後に飲まない。

3：正解

4：白のカプセルを昼食後に飲む。

⭐ 問題27

アルバイトについての調査結果である。

問いの1～4の文を読み、それぞれどこに情報があるか探す。

1：男子学生79.4％、女子学生83.4％で女子学生のほうが多い。

2：全体の32.4％なので、全体の約3分の1になる。

3：正解

4：社会経験のためにアルバイトをしている学生が24.2％いるので、「ほとんど」にならない。

⭐ 問題28

インターネットでチョコレートを注文した後に送られてきたメールである。

品物が届いたかどうかは「配送状況」を見るとわかる。

1：このメールの中に、配送状況を確認するところがある。（※の1つ目）

2：このメールに返信しても答えてもらえない。（※の2つ目）

3：ホームページでは注文内容の確認・変更しかできない。（※の3つ目）

4：正解

⭐ 問題29

おいしいおにぎりの作り方を述べた文章である。

2行目から5行目においしいおにぎりの作り方が書かれている。

1：「固くにぎっては、おいしいおにぎりにならない。」と書かれている。（3行目）

2：「力を込めて固くにぎっては、おいしいおにぎりにならない。」と書かれている。（3行目）

3：「くずれない程度に力を込めてにぎらなければならない。」と書かれている。（5行目）

4：正解

⭐ 問題30

日本人の集団主義と稲作の関係を説明した文章である。

集団主義になった原因を探す。3行目「それにはさまざまな原因があるが、」の後にその原因が書かれている。

1：米を食べ続けたのではなく、稲作が原因の一つであると書かれている。（3〜4行目）

2：稲作で使う水を管理すると書かれている。（5〜6行目）

3：個人で競争するのではなく、地域全体を考えると書かれている。（5〜6行目）

4：正解

⭐ 問題31

手動発電式ライトの使い方についての文章である。

「使用方法」と「使用上の注意」の両方を見る。

1：このライトは手動発電式であり、電池を使用しない。（3行目）

2：正解（9行目）

3：ライトスイッチを押し、白いボタンを押さないと、ライトは点滅しない。（6行目）

4：ライトが暗くなっても、またハンドルを回せば明るくなるので、長時間使うこともできる。（9行目）

⭐ 問題32

山田先生から学生のサラさんへ約束日時の変更を知らせるメールである。

11行目に「サラさんの都合を教えてください。」とある。

1：他の日時の提案があったので、もう一度先生の都合を聞く必要はない。

2：正解

3：約束の変更は先生からなので、あやまらなくてよい。

4：都合が悪くなったのは先生なので、あやまらなくてよい。

☆ 問題33

宝くじが当たったのにお金を受け取らなかった人についての文章である。

問1

宝くじを買った理由を探す。3行目「彼が宝くじを買ったのは、」の後に理由が書かれている。

1：3億円を使う事は考えていなかった。（3～4行目）

2：正解

3：お金が欲しいからではなかった。（4行目）。

4：「楽しい事より大変な事が多いと考えたのだろう」と書かれている。（6～7行目）

問2

1行目「当たったのにお金を受け取らなかった人がいる。」8行目「何人もの人が受け取るようにすすめたが、彼の気持ちは変わらなかった。」を参考にする。

1：彼には子どもや親せきがいないと書かれている。（5行目）

2：高級車や大きな家を買う必要もないと書かれている。（5行目）

3：高級車や大きな家を買う必要もないと書かれている。（5行目）

4：正解

問3

理由は5～6行目「もし3億円を受け取ったら、」の後に書かれている。

1：相談して意見を聞いたのではない。

2：正解

3：お金を使うことは考えなかった。

4：周りの人にあげようと思ったとは書かれていない。

☆ 問題34

ストレスについて書かれた文章である。

問1

専門家がどう言っているかは、「専門家に言わせると」（4行目）の後に書かれている。そこには「このがまんできるぐらいのストレスが一番問題なのだ」とあるが、それは、この文の前（3～4行目）にある「がまんできるぐらいの小さなストレス」を指している。

3：正解

問2

「そうして」は前の文に書かれている「それ（＝がまんできるぐらいのストレス）を解決せずそのまま

にして」（5〜6行目）を指している。

1：大きなストレスはがまんができない。

2：「大きなストレスを」「解決しようとして」いるうちにということではない。「小さなストレスを」
「解決しないでいるうちに」という意味である。

3：正解

4：ストレスが全然ない生活はなかなかできないと書かれている。（2行目）

問3

「小さなストレス」「大きなストレス」についてどう書かれているかに注目する。

1：小さくてがまんできるストレスが一番問題である。（4〜5行目）

2：ストレスが大きいと必ず心や体をこわしてしまうとは書かれていない。

3：正解

4：大きいストレスはつらいものだと書かれている。（7行目）

☆ 問題35

トキという鳥を例に、自然保護の大変さを述べた文章である。

問1

トキの説明は第1段落、第2段落に書かれている。

1：今、佐渡に数羽いるのは、中国から輸入したトキである。（7行目）

2：正解

3：日本のトキは絶滅してしまって（5〜6行目）、増えてはいない。

4：トキに似た中国の鳥ではなく、中国にいる同じ種類のトキを輸入し（7行目）、育てている。

問2

4行目に「少しずつ数を減らしていった」と書かれている。その前後を見る。

1：トキが捕まえられたのは、田んぼや森の生きものを食べすぎたためではない。（3〜4行目）

2：正解

3：トキが中国などの国に行ってしまったのではない。

4：トキが捕まえられたのは、トキを飼うためではない。

問3

この文章を書いた人が言いたいことは10行目に書かれている。

1：トキの絶滅は、自然が簡単に失われることの1つの例である。

2：美しい生き物は再び増やし自然に返したほうがいいとは書かれていない。

3：正解

4：自然を復活させられることが一番言いたいことではない。

⭐ 問題36

自動販売機の節電のしくみを述べた文章である。

問1

2行目「電気をむだ使いしているように感じられる。」の前を見る。

1：エネルギーを節約する技術は進んでいる。（3行目）

2：正解

3：夜も使う人がいるからではなく、だれも使っていないのに明かりがついている（1行目）からである。

4：さまざまな場所にたくさんあるからとは書かれていない。

問2

第3、第4段落を見る。

1：ゆっくり冷やすとは書かれていない。

2：売る直前に短い時間で冷やすのではなく、売る直前の分だけ冷やす。（5行目）

3：コンピューターが外の温度の変化を見るのではなく、曜日や時間による売れ方の変化をみて、冷やす。（6〜7行目）

4：正解

問3

第3、第4段落を見る。

1：正解

2：温かい飲み物から出る熱を利用するのではなく、冷たい飲み物を冷やしたときに出る熱を使って、温かい飲み物を温めるとある。（8〜9行目）

3：「冷たい飲み物と温かい飲み物を同時に売る自動販売機」（8行目）がある。

4：自動販売機の明かりの熱を使うとは書かれていない。

⭐ 問題37

日本語での会話で、上手に話に入る方法について述べた文章である。

問1

「そうすると」はその前の部分「同意できないときでも〜小さくうなずくだけで話し合いに参加できていることになる。（6〜7行目）」を指す。

4：正解

問2

「うなずくこと」を説明している部分を探す。5行目の「うなずきは〜」に書かれている。

2：正解（6行目）

問3

第2段落で「まずは、誰かが話しているとき、〜『うなずく』ことである。」（3行目）と書かれ、また、第3段落で「さらに、共感できるところで〜と言うことが大切である。」と書かれている。

1：1対1でも大勢でも同じく、うなずくことと相づちを打つことの両方が大切である。

2：正解

3：相手が話している間もうなずいたり、「そうですね」と言ったりすることである。

4：「本当にそうですね」と言うのは、相手の話に共感できるときである。（9行目）

⭐ 問題38

科学技術の進歩によって人間の能力が失われることについて述べた文章である。

問1

第1段落に「科学技術の進歩によって、→生活はより快適で便利になる。→（その一方で）人間の能力が失われる」と書かれている。

1：正解。

2：昔のことを思い出そうとしなくなったとは書かれていない。

3：今の人が能力を高めようとしていないとは書かれていない。

4：快適で便利な生活を求めなくなったとは書かれていない。

問2

「それ」は「どのように体を使えば重いものを運べるか（5行目）」を指す。

3：正解

問3

第1段落、最後の段落にこの文章を書いた人の考えが書かれている。

1：仕事がなくなることは書かれていない。

2：人と人とのつながりが失われることは書かれていない。

3：正解

4：進歩するから昔のことが伝えられないのではなく、便利なものに頼るから昔のことが伝えられ

ないと書かれている。

⭐ 問題39

コンパクトシティという都市のかたちについて説明した文章である。

問1

「外側へと広がった」を説明する部分を探す。2～3行目に書かれている。

1：外側に新しく別の街ができたのではない。

2：ほかの街ではなく、郊外に行きやすくなったので、外側へと広がったのである。

3：正解

4：施設や家が広くなったのではない。

問2

「コンパクトシティ」の説明を探す。8行目「このような都市はコンパクトシティと言われており、」
とある。この文の前の部分がその説明である。

1：中心部の多くの店が閉まったが、そこに施設を戻そうとしている都市である。（6～7行目）

2：お年寄りが買い物に行ったりするのが難しいことを解決しようとした都市である。（8～9行目）

3：お年寄りは車を運転する人が多くない。（4行目）

4：正解（7～8行目）

問3

注目される理由、コンパクトシティのいい点を探す。8～9行目に書かれている。

1：車で、お年寄りをいろいろな店や施設に連れて行ってくれるとは書かれていない。

2：正解

3：街の中心が、にぎやかになったとは書かれていない。

4：人口が増えるとは書かれていない。

⭐ 問題40

ダジャレの効果について述べた文章である。

問1

「見られる」は受身形

おじさんが（ダジャレを）言うと、たいてい（おじさんは）冷たい目で見られる。（3～4行目）

2：正解

問2

1：正解

2：いろいろなことを調べるとは書かれていない。

3：ダジャレを聞いたときではなく、作るときに、脳のトレーニングになる。

4：ダジャレは似たような音の言葉の遊びだが、似たような言葉を覚えるとは書かれていない。

問3

第4段落に書かれている。

1：中高年の男性のダジャレについて、「おもしろい」「理解できない」とは書かれていない。

2：中高年の男性が言うと、たいてい冷たい目で見られると書かれている。（3〜4行目）

3：ダジャレを言うのがよいことではないとは書かれていない。

4：正解

☆ 問題41

大山さんがヘンドラさんをコンサートに招待する手紙である。

問1

ギターの先生のコンサートに南ゆかりさんがゲストで出演する。（4〜7行目）

3：正解

問2

10〜11行目「来ていただけるのでしたら、」の後を見る。

1：正解

2：「代金は結構です（13行目）」とあるので、お金はいらない。

3：「私あてに（11行目）」とあるので、会場ではなく、大山さんにお願いする。

4：会場ではなく、大山さんにお願いする。お金はいらない。

問3

コンサートの前日までに連絡をしなければならない。（11行目）

3：正解

☆ 問題42

「する」と「なる」の表現の違いについて書かれた文章である。

問1

「話し手の意志」というのは、話し手がそうしたいということである。

1：正解

2：「自然に」ではなく、そうしたいと思っている。

3：話し手がやりたいと思っている。

4：聞き手ではなく、話し手がそうしたいと思っている。

問2

「上に書いたとおり」の次に「話し手の意志が強く伝わる。」とあるので、話し手の意志が伝わる言い方について書かれている部分が正解である。

2：正解

問3

4〜5行目に「店側は何と言ってタバコをやめてもらうだろうか」とある。

1：レストランの決まりを伝える形だが、目的はタバコをやめてもらうことである。

2：正解

3：客を叱るのではなく、タバコをやめさせたい。

4：傷つけたくないが、一番の目的はタバコをやめてもらうことである。

問4

第2段落、第3段落を見る。

1：「する」は話し手の意志を強く伝えるものである。

2：正解

3：「なる」が決まりを教える言い方である。

4：「する」を使うと相手と対立する可能性がある。

★ 問題43

日本人にとっての桜について説明した文章である。

問1

第2段落を見る。4〜5行目「花は春の1週間ほどは」の文に書かれている。

1：翌日に散るのではなく、1週間ほどはきれいだと書かれている。（4行目）

2：葉の色は秋になると変わる（5行目）が、花の色が変わるとは書かれていない。

3：何週間もは咲きつづけない。すぐに散り始めると書かれている。（4行目）

4：正解

掃除というのは、落ちた花びらと落ち葉の掃除（4～6行目）のことである。「掃除ぐらいで文句を言ってはいけないだろう。」の前には「美しい花や紅葉を見せてくれるのだから」とある。

1：正解

2：「いいことだから」掃除をやらなければならないとは書かれていない。

3：葉の掃除も大変だと書かれている。（6行目）

4：掃除は大変だが、美しい花や紅葉を見せてくれる（7行目）と書かれている。やりたくないのはあたりまえだとは書かれていない。

問3

9行目「このため、」の後に書かれている。

1：何もしない（＝放っておく）と60年ぐらいで枯れてしまうと書かれている。（8～9行目）

2：重くなった枝は支える。（9～10行目）

3：花びらや葉を掃除しても長生きさせることにはならない。

4：正解

問4

一番言いたいことは、第4段落に書かれている。

1：手をかけると100年以上長生きすることもある。（11行目）

2：「新しい桜を植えることもさかん」（12行目）とあり、日本から桜はなくなってしまうとは書かれていない。

3：正解

4：花びらや葉を掃除しても長生きさせることにはならない。

★ 問題44

シェアハウスの説明と、入るときの注意点について書かれた文章である。

問1

第1、第2段落にシェアハウスの説明が書かれている。

1：家賃は周りのアパートと同じ程度である。（4行目）

2：正解

3：トイレとシャワーは共同である。（2～3行目）

4：部屋の広さがふつうのアパートより広いのではなく、広く使える。（5行目）

第2段落によい点が書かれている。

1：正解

2：交流はできるが、掃除をしたりご飯を作ったりする必要がないとは書かれていない。

3：全てのシェアハウスに家具や電気製品が付いているわけではない。（11〜12行目）

4：年齢や仕事の違う人と住むことが多い。（6〜7行目）

問3

第3段落に注意点が書かれている。

1：正解

2：年齢や仕事を確認したほうがいいのであって、住まないほうがいいとは書かれていない。

3：共同部分の使い方について、決まりを知っておく必要があると言っている。（10行目）

4：手放さなければならないのは、付いている場合だけである。（12〜13行目）

問4

第2段落の最後、第3段落の最後に伝えたいことが書かれている。

1：失敗する人が多いとは書かれていない。

2：シェアハウスを増やすべきだとは書かれていない。

3：正解

4：個人の部屋があり、一人の自由な時間もある。（2行目、5行目）

⭐ 問題45

新幹線の掃除を例に、時間どおりに列車を走らせるための努力について書かれた文章である。

問1

第2段落、第3段落に新幹線の掃除について書かれている。

1：10〜12分以内に、1人ではなく、2人で担当する。（4行目）

2：正解（3〜4行目）

3：はじめに忘れ物がないか確認するのではない。また、床を掃除するのは最後である。

4：先に背もたれの布を取り替えてから、座席をきれいにする。

問2

第4段落に安喰さんのことについて書かれている。

1：家の掃除とはまったく違うので、主婦の経験が役に立ったとは言えない。（10〜11行目）

2：正解（11〜12行目）

3：一緒に働く人たちのやり方を見たとは書かれていない。

4：時計を見ないで仕事をしたからとは書かれていない。

問3

「掃除時間が4分しかない（14行目）」とき「決められた時間に出発したときのうれしさ」とある。

1：長く掃除をしなくてもよかったからとは書かれていない。

2：正解

3：いつもと同じ作業が全てできたのではなく、最低限必要な作業をした。

4：台風でも新幹線が動いていて掃除ができたことがうれしかったとは書かれていない。

問4

前に「さまざまな人々のおかげで」とあり、その例として掃除の人のきちんとした仕事の様子が述べられている。

1：正解

2：多くの人々が仕事をしていることが理由ではない。

3：仕事のやり方が細かく決められており、だれにでもできるからではない。

4：管理職の指導と管理が理由ではない。

⭐ 問題46

小中学校で成績が悪い生徒をもう一度同じ学年で勉強させることについて、意見を述べた文章である。

問1

なぜ問題が起こるのか、理由を探す。4〜5行目に自分一人が進級できないのは大変なショックだと書かれている。

1：正解

2：授業が終わってから残るとは書かれていない。

3：クラスでいちばん勉強をしなかったとは書かれていない。

4：元のクラスの生徒と遊べないのではなく、上の学年に行けないから。

問2

「結果」とは、上の学年に上がらず、同じ内容をくり返し勉強した結果のことである。この文章を書いた人は同じ内容をくり返し勉強しても、勉強がわかるようにならないだろうと言っている。

4：正解

問3

「問題」とは困ったことのこと。前の部分の、「今の学年の内容がわからないままで上の学年に上がってしまったら、今より難しい内容についていくことはできない(10〜11行目)」を指す。

2：正解

問4

第1段落と最後の段落を見る。11〜12行目「ボランティアが特別に指導をしたりすればこの問題は改善する」と書かれている。

1：教師が指導をするのではない。

2：クラスのほかの生徒が教えるのではない。

3：正解

4：授業中ではなく、授業が終わったあとに指導をする。

★ 問題47

男性と女性の行動や考え方の違いについて書かれた文章である。15〜16行目にa)が女性、b)が男性と書かれている。

問1

6〜8行目「1．買い物について」を見る。

1：値段の安いものを買ってしまうのは女性と書かれている。(7行目)

2：値段が高い方がよいものだと思うとは書いていない。

3：買わなくてもいいものでも安いと買ってしまうのは女性と書かれている。(7行目)

4：正解

問2

9〜11行目「2．将来について」を見る

「夫ができる」とは「結婚をする」ということなので、女性は「夫ができるまでは将来について心配をしている。」ということになる。これは「夫ができると、将来について心配をしなくなる。」ということと同じである。

2：正解

問3

12行目〜14行目「3．結婚について」を見る。

1：正解

2：自分がどう思っているかは書かれていない。

３：妻には変わらないでほしいと思っている。（14行目）

４：自分がどう思っているかは書かれていない。

[問4] 第1段落と最後の段落を見る。2行目の「間違っているのではないだろうか。」は「間違っている。」という意味である。

４：正解

⭐ 問題48

富士山登山を経験した人が書いた文章である。

[問1]

次の文（4〜5行目）に見えなくなってしまった説明が書かれている。

３：正解

[問2]

直前の文（9行目）に「山小屋を出発して山頂まで登った。」とある。

４：正解

[問3]

10行目以降に太陽が昇る様子が書かれている。

１：空の下の部分だけがオレンジ色に変わるとある。（10〜11行目）

２：空が青色になって、その後太陽が昇るとある。（10〜11行目）

３：正解

４：太陽が昇り始めて、まぶしい光が伸びるとある。（11行目）

[問4]

最後の段落に書かれている。

１：正解

２：毎年登る人の気持ちがわかるとある（14〜15行目）ので、一度登れば十分だとは思っていない。

３：登るのは大変だったとある。（14行目）

４：ツアーに参加したとは書かれている（2行目）が、それがいいとは書かれていない。

⭐ 問題49

評論家になるには何が必要かについて書かれた文章である。

3〜4行目に医者や先生との違いが書かれている。

1：医者や先生は説明や評価をしないとは書かれていない。

2：「医者や学校の先生のように、〜資格試験があるわけではない」とある。（3〜4行目）

3：正解

4：医者や先生はある分野の知識が必要ないとは書かれていない。

問2

5〜7行目に、どんなことが仕事につながったかが書かれている。

1：評論家になるために興味を持とうとしたのではない。（5〜7行目）

2：評論をするために学んだのではない。（5行目）

3：資格試験を受けたとは書かれていない。

4：正解（5〜7行目）

問3

「ただAすればBになれるというものでもない」という文は、「Bになるためには、A以外にも必要なことがある」という意味である。

3：正解

問4

10〜11行目に必要なことが書かれている。

2：正解

☆ 問題50

作家の手書きの文字から伝わるものについて書かれたエッセイである。

問1

第2段落に、歩いているときの気持ちが書かれている。

1：緑の美しい町を歩くのは楽しかった（4行目）が、少し物足りない気持ち（6行目）だった。

2：歩いていたときは、少し物足りない気持ちだった。（6行目）

3：正解

4：町の様子がすっかり変わってしまったため不満だったとは書かれていない。

問2

ある記念館で「彼（＝大好きだった作家）の書いた原稿や手紙の展示をしていた」（7〜8行目）とあ

る。

1：本とは書かれていない。

2：正解

3：いろいろな人が書いたのではなく、作家の書いた原稿や手紙である。

4：作家の妹ではなく、作家の書いた原稿や手紙である。

問3

「字の下手な私は、できるだけパソコンを使っていた。だが、それ以来」とあるので、そこの前の部分の、筆者が記念館に入り、作家の手書きの文字を見て、さまざまなことを感じたときを指す。

2：正解

問4

「手書きの文字というのは、時間がどんなに流れていても、その人がどんな人だったのか、その人が何を感じていたかを強く表していることに気がついた」（10〜11行目）、「下手でも心をこめて字を書くことで、何かが伝わるのではないかと思いはじめている」（12〜13行目）と書かれている。

1：正解

★ 問題51

『花屋ダイヤリー』という小説を紹介した文章である。

問1

3〜4行目に山口しずかについて書かれている。

1：若い作家とは書かれていない。

2：『一人』という小説を書いたが、自分のことを書いたとは書かれていない。

3：若者のことを書くことで人気があるが、若者に人気があるとは書かれていない。

4：正解

問2

「事情をたずねます」の前を見る。8行目に「客はみなユウに花を選んでほしいと言います。困ったユウは、〜」と書かれている。

4：正解

問3

「元気づけられる」の前を見る。11〜12行目に理由が書かれている。

1：ユウは変わったが、変わったことをしたのではない。

2：ユウは学校に行くようにはなっていない。

3：正解

4：アルバイトを始めたが、それで元気づけられるわけではない。

問4

第4段落の11〜12行目に書かれている。

1：正解

2：花言葉も書かれているが、作者が一番伝えたいことではない。

3：ユウが何の喜びもない日々を送っていることではなく、そのユウが明るく強くなっていく様子が、「作者から読者へのエール」(12行目)だと書かれている。

4：役に立つ知識も得られるが、作者が読者に一番伝えたいことではない。

⭐ 問題52

割引券がついたコンビニの広告である。

問1

下のアイスクリームのところを見る。6月18日はアイスクリームが割引券を使うと20円安い。

＊の3つ目の説明で、「割引券1枚につき商品1個が割引」とあるので、1個だけが20円引きになる。合計180円になる。

(100円−20円) ＋ 100円＝180円

2：正解

問2

下のドーナッツのところを見る。6月2日〜14日まで割引券を使うと20円安い。＊の5つ目の説明で「割引券が利用できるのは、18時〜24時まで」と書かれている。

2：正解

⭐ 問題53

すし屋がアルバイトを募集している広告である。

問1

「勤務時間・給与」を見る。「夕方5時から夜10時まで働く」ので、時給は②の1,000円である。

1,000円 × 5 (時間) × 3 (日) ＝ 15,000円

4：正解

「勤務時間・給与」「＊」のところを見る。

1：「勤務時間・給与」のところに「1日5時間以上」と書かれている。

2：「勤務時間・給与」のところに「週2日」と書かれている。

3：＊の4行目に「高校生は不可」と書かれている。

4：正解

☆ 問題54

アパートを借りたいときに見るウェブサイトのページである。

問1

契約時には家賃3万円、敷金（家賃1か月分）3万円、礼金（家賃1か月分）3万円のあわせて9万円が必要である。

3：正解

問2

問いの1～4の文を読み、それぞれどこに情報があるか探す。「南向き」とは部屋の一番大きい窓やベランダが南に向いているという意味である。

1：部屋は2階にある。

2：正解

3：「ペット相談可」とは、相談すれば飼えるかもしれないという意味である。

4：「浴室」はお風呂のことである。

☆ 問題55

日本文化や語学を教えるクラスの案内パンフレットである。

問1

「☆料金」のところを見る。会員は500円割引になる。日本文化クラスは1回1,500円。
1,500円－500円＝1,000円。

2：正解

問2

下の「☆申し込み」のところを見る。3日前（4月6日までにネットで予約すればよい）

1：電話で予約するとは書かれていない。

2：正解

3：みなと市民会館は教室の行われる場所である。

4：教室では申し込めない。

☆ 問題56
ある町のレストラン案内である。

問1

予算が3,000円以内（＝3,000円以下）で食べられるのは①と④で、火曜日の19時に食べられる店は①である。
1：正解

問2

和食は②と③で、より早いのは11時30分からである。
2：正解

☆ 問題57
レストランの宅配のメニューである。

問1

メニューの値段と「＊」のところを見る。

カレーライスは550円、コーラは150円だが、食事と一緒に注文するので飲み物は100円になり、合計650円。1,000円未満なので、200円追加になる。
3：正解

問2

「＊」の2つ目に「10個以上の注文は前の日までにご注文ください」と書かれている。「受付時間」のところも見る。
1：「受付時間」に「20:30」までと書かれている。
2：正解
3：「受付時間」に「土日祝は19:30で終了」と書かれている。
4：「＊」の2つ目に「前の日までにご注文ください」と書かれている。

☆ 問題58
携帯電話料金の請求書である。

問1

請求書に書かれているとおりにお金を支払わなければならない。右側の「お支払い方法のご案内」を見る。

１：ＮＡＴに電話するとは書かれていない。

２：コンビニか銀行で支払えるので、郵便局の口座を作る必要はない。

３：カンさんはクレジットカードを持っていない。

４：正解

[問2]

いつまでに支払うかは左側の「お支払い期限」に書かれている。

４：正解

☆ 問題59

ラケットの保証書である。

[問1]

「ご購入日」と１を見る。「テニスラケット：お買い上げの日から９か月」と書かれている。

メイさんのラケットはテニスラケットで、買ったのは2014年5月1日である。

正解：3

[問2]

２に保証してもらえない場合が書かれている。

１：「・」３つ目に「湿気の多いところに長時間置く」と書かれている。

２：「・」３つ目に「湿気の多いところに長時間置く」と書かれている。

３：「・」２つ目に「ラケットの上に重いものをのせる」と書かれている。

４：正解

☆ 問題60

映画館のホームページの、A上映時間、B映画紹介である。

[問1]

動物が出てくる映画は、B≪映画紹介≫を見ると、「猫と一郎」である。A≪上映時間≫で「猫と一郎」の時間を見る。グエンさんは午後から時間があるので、15:15から見られる。

４：正解

[問2]

１：「大きな食卓」は２時から始まっており、３時から見ることができない。

２：正解

３：「風の忍者」は、２時30分から始まっており、３時から見ることができない。

4：「オハナ♡」は7時15分に始まる。6時までに出る場合は見ることができない。

☆ 問題61

会社説明会参加についての確認のメールである。

問1

受付開始時間（●の6つ目）を見る。開始時間の10分前とあるので、12時50分から受付開始である。○×駅から会社までは徒歩10分（●の4つ目）かかる。

1：正解

2：12時50分では間に合わない。

3：1時は説明会の開始時間で、間に合わない。（【開催日時】を見る）

4：2時半は説明会の終了時間。（【開催日時】を見る）

問2

＜注意事項＞●受付開始時間を見る。

1：「当日の遅刻や欠席は直接当社にご連絡ください」（＜注意事項＞＊の3つ目）とあるので、連絡しなければいけない。

2：会社のホームページの採用案内ページからキャンセルができるのは、前日までに参加日の変更がある場合である。（＜注意事項＞＊の2つ目）

3：「●受付開始時間」に「開始時刻を過ぎてからの参加はできません」と書いてあるので、遅れて参加することはできない。

4：正解

☆ 問題62

留学生の生活を応援するグループからのメールマガジンである。

問1

「新年会」と書かれている部分を探す。「◆1．ニュース」のところに書かれている。

1：申し込み先が書かれているので、申し込みをして参加する。

2：正解

3：②は意見や問い合わせのためのURLで、申し込みをするURLではない。

4：④のメールアドレスにメールを送って申し込むとは書かれていない。

問2

メールマガジンを受け取りたくないときには「配信停止」の手続きをする。「配信停止」を探す。

1：「このアドレスに返信はできません。」と書かれている。（◆の4つ目）

２：②は意見や問い合わせのためのＵＲＬである。

３：正解

４：④は編集人のメールアドレスで、配信停止を連絡するメールアドレスとは書かれていない。

☆ 問題63

インターネットで買ったものが不良品だったときの、返品の手続きについてのメールである。

問1

４〜５行目にどうしてほしいか書かれている。

１：商品を返送してほしいと書かれている。（４〜５行目）

２：捨てるのではなく、返送してほしいと書かれている。（４〜５行目）

３：送料を連絡してほしいとは書かれていない。

４：正解

問2

「返金」について書かれているところを見る。９〜10行目に書かれている。

１：商品が到着したら返金するとあるので（９行目）、商品を送り返さなければならない。

２：商品が到着しないとお金は戻ってこない。

３：振込先口座を教えてほしいとある（10行目）ので、お金は口座に振り込まれる。

４：正解

☆ 問題64

好きな動物についての調査結果を棒グラフで表したものである。

問1

濃いグレーの棒が1983年、薄いグレーの棒が2007年を表している。一番差があるのは、パンダである。

２：正解

問2

問いの１〜４の文を読み、それぞれの動物のところを見る。

１：ねこはあまり差がない。

２：うさぎは2007年の調査では５位である。

３：パンダは1983年の調査で２位である。

４：正解

模擬試験

問題1

ライフコース（＝個人が生まれてからどんな道を歩いてきたか）に分けて、アンケートを取ることについて述べる文章である。

1

「40代女性といってもライフコースはさまざま」だと書かれている。（4行目）

1：一生が長くなったのではなく、人々がさまざまな生き方を選んでいるから。（4〜5行目）

2：正解

3：就職することがあたりまえになったからではなく、就職した後の生き方がさまざまだから。（4〜5行目）

4：仕事を続けることが難しくなったとは書かれていない。

問題2

わざわざ時間や場所を作らなくても運動はできるということを述べる文章である。

2

第2段落に言いたいことが書かれている。

1：「適度な運動を生活の中に取り入れることは可能」とある。（4行目）

2：「食事と運動のバランスを考える必要があります。」と書かれている。（1行目）

3：正解

4：「適度な運動を生活の中に取り入れることは可能」とある。（4行目）

問題3

結婚についての調査の結果を説明した文章である。

3

3行目「それによると」の後に調査の結果が書かれている。

1：「しなくてもよい」の割合が「するのが当然」の割合を上回ったのがわかったのは、1993年である。（3〜4行目）

2：正解

3：「しなくてもよい」と「するのが当然」の割合の差は、1998年以後は変化がない。（4〜5行目）

4：1998年の調査で、「しなくてもよい」と「するのが当然」の割合の差が広がっていることがわかっているので、割合は変わっている。（4行目）

問題4

アパートの管理人から、アパートの住人への注意のお知らせである。

「夜11時」と書かれているところを探す。しなければいけないこと、してはいけないことに注意する。

1：通路で話をしてはいけない。（6〜7行目）

2：正解

3：窓を開けたまま、部屋で音楽を聞いてはいけない。（8〜9行目）

4：夜の11時以降は静かに階段を上り下りしなければならないので、携帯電話で話をしながら階段を上ってはいけない。（4〜5行目）

問題5

B級グルメで町に活気が出てきたことについて書かれた文章である。

5

「その町」とは、この文の前にある「そこ（＝B級グルメの全国大会）でよい成績をあげて<u>町のB級グルメが有名になると</u>」（3〜4行目）の「町」である。

4：正解

6

「その結果、活気が出て〜」とあるが、「その」は4〜6行目を指しており、この部分が活気が出てきた理由になる。

1：正解

2：人が来て、そこに住み、働くようになるとは書かれていない。

3：企業が来て、工場を建てるから活気が出てきたのではない。（7〜9行目）

4：建物を建てるから、活気が出てきたのではない。（8〜9行目）

7

第2段落「B級グルメは食べ物を作るだけでお金はあまりかからないので、今、注目されている。」（9〜10行目）に注目する。

1：観光客はB級グルメを作るとは書かれていない。

2：正解

3：人を雇うのはB級グルメが有名になった町である。大会でよい成績をあげるために人を雇うとは書かれていない。

4：B級グルメのために工場や飲食店を造るとは書かれていない。

問題6

カタカナの仕事の名前について書かれた文章である。

8

「ネイリスト」は「最近できた新しい仕事にはカタカナ語が多い（2行目）」の例である。

1：料理を作る仕事は最近新しくできた仕事ではない。

2：映画に出る人は最近新しくできた仕事ではない。

3：病院の先生は最近新しくできた仕事ではない。

4：正解

9

「そのようなこと」は前の文、「カタカナ語で言ったほうが特別な感じや新しい感じがする。自己紹介のとき、〜気持ちがよさそうだ」（7〜9行目）を指している。

2：正解

10

文章の中でくりかえし出てくる言葉に注意して、テーマをつかむ。「カタカナ語」「仕事」がくりかえし使われている。また、1〜2行目に「最近は仕事をカタカナ語で言う人もよく見かける。」とある。

1：カタカナ語全体の話ではなく、仕事の名前についての話である。

2：正解

3：昔からあった仕事についても述べている。（5〜7行目）

4：新しい仕事についても述べている。（1〜4行目）

問題7

旅行などに行ったときに、同じ職場の人達全員におみやげを買ってくるという、日本の習慣について書かれた文章である。

11

となりの人はこの文章を書いた人に「それは普通のこと」と説明している。このことから、この文章を書いた人はそれを普通のこととは思っていないことがわかる。それより前の部分に「びっくりした」とあるので、「それ」はこの文章を書いた人がびっくりした内容を指す。

4．正解

12

「〜と言われて、〜」の文の、「だれが・だれに」を意識する。「おみやげをあげた人が、おみやげをもらった人に『あ、○○へ行ったんですね。』などと言われて、〜」となる。

1．おみやげをあげた人がもらった人に言われた。

2．正解

３．仕事を代わってもらった人はおみやげをあげた人である。

４．この文章を書いた人ではなくおみやげをもらった人に言われた。

14 13

「私の国では仲のいい人にしかおみやげを渡さない。」（４〜５行目）とあるのが、この文章を書いた人の国の習慣である。

３．正解

14

「気になる」はここでは「好意を持つ」という意味であり、また、「あの人」もここでは好きな人を指す意味で使われている。後ろに「話をするチャンスが生まれるかもしれない。」（最後の文）とあるので、その相手とは話をするチャンスがまだないことがわかる。また、この文章では、「職場のみんなにおみやげを配る（６〜７行目）」とあり、ほかの会社の人に配るとは書かれていないので、４は不正解。

２．正解

問題8

アルバイトを募集している広告である。

15

質問文のジョンさんの希望のところを見る。また、【仕事】【資格】のところを見る。午後働けるのは②（木曜日と日曜日）。夜、働けるのは③だが、③は18歳以上なので、ジョンさんは働けない。

３：正解

16

質問文のリーさんの希望のところを見る。また、【仕事】のところを見る。

１：火曜日13:00〜17:00の時間にアルバイトはない。また、リーさんは夜に働きたくない。

２：リーさんは日曜日に働きたくない。

３：正解

４：火曜日と土曜日13:00〜17:00の時間にアルバイトはない。